Theologische Gebete

Romano Guardini
Werke

Herausgegeben
von
Achim Budde

im Auftrag
des Sachverständigengremiums für
den literarischen Nachlass Romano Guardinis
bei der Katholischen Akademie in Bayern

Sachbereich
Gebet und Meditation

Romano Guardini

Theologische Gebete

Mit einem Nachwort von Peter Reifenberg

Matthias Grünewald Verlag
BRILL | Ferdinand Schöningh

»Theologische Gebete«:
12. Auflage 2021, unveränderter Nachdruck der 7. Auflage,
Frankfurt am Main: Verlag Josef Knecht, 1963
(1. Auflage 1948)

»Gebet in der währenden Stunde«
(Aus dem Nachlaß)

Für die Verlagsgruppe Patmos ist Nachhaltigkeit ein wichtiger
Maßstab ihres Handelns. Wir achten daher auf den Einsatz
umweltschonender Ressourcen und Materialien.

Bibliografische Information der Deutschen Nationalbibliothek
Die Deutsche Nationalbibliothek verzeichnet diese Publikation in der
Deutschen Nationalbibliografie; detaillierte bibliografische Daten sind
im Internet über http://dnb.d-nb.de abrufbar.

Umschlaggestaltung: Finken & Bumiller, Stuttgart
Druck: CPI books GmbH, Leck
Hergestellt in Deutschland
ISBN 978-3-7867-3169-6 (Matthias Grünewald)
ISBN 978-3-506-79276-1 (Schöningh)

Inhalt

Nachwort

Theologie auf Knien

Die Schüler- und auch die Studentenzeit: wenn ich zurückdenke, gehört der *»Deutsche Psalter«* Romano Guardinis unbedingt dazu. Am Ende war das gelbe Köselbuch ganz zerfleddert, wurde abgelöst von der Studienausgabe des neuen Stundenbuchs in den 70er Jahren, und später vom Stundenbuch selbst mit den Psalmen der Einheitsübersetzung von 1980; aber im Ohr blieben nicht wenige Redewendungen Guardinis, die mich bis heute begleiten.

Später als Pfarrer kam ich dann in Kontakt mit den *»Theologischen Gebeten«* und fand faszinierend, wie sich hier ein philosophischer Grundduktus und eine trotz hoher Sprache nüchterne Theologie existentiell verdichten, zu spirituellen Dimensionen vorstoßen und geistlich werden, Gebete, fromme Praxis des Glaubens. Bei ganz unterschiedlichen Anlässen und Gottesdiensten habe ich die Gebete eingebracht und war jedes Mal dankbar für dieses liturgische *»Schwarzbrot«* anstelle der nicht selten doch viel lieber genommenen *»Schwarzwälder-Kirschtorten«* (wie einmal den Unterschied eine Studentin während meiner Hochschulpfarrerzeit treffend formulierte).

Im Jahr 2000 kam ich zur Akademie, und damit – in enger Absprache mit dem *»Sachverständigengremium zur Betreuung des literarischen Nachlasses von Romano Guardini«* – in die Verantwortung für dessen Autorenrechte. Da schloss sich dann fast ein Lebenskreis, und ich konnte der Geschichte der *»Theologischen Gebete«* nachgehen. Unser Mitarbeiter Stephan Höpfinger, der unmittelbare Ansprechpartner in der Akademie für alle Guardini-Themen, hat dazu große Hilfe geleistet.

Die 25 Texte waren erstmals im Jahre 1948 veröffentlicht worden, entstanden als Abschluss von Abendvorträgen, die Guardini seit 1939 in Berlin hielt, und zwar in St. Canisius, der Charlottenburger Jesuitenkirche. Die Vortragsreihe initiiert hatte Josepha Fischer, Leiterin des Berliner katholischen Frauenbundes, um in den Bedrängnissen der Zeit zugleich belehrend und stärkend zu wirken. Guardini, der im gleichen Jahr 1939 als Professor für Religionsphilosophie und Katholische Weltanschauung an der Universität Berlin durch die Nationalsozialisten zwangspensioniert wurde, erinnert sich in seinen autobiographischen Aufzeichnungen *»Berichte über mein Leben«:*

»Ein besonderes Gewicht haben in meiner Erinnerung die Abendvorträge in der Canisius-Kirche … Der Ritus war denkbar einfach. Er begann mit einem Lied an den Heiligen Geist; dann kam der Vortrag, den ich, um den kirchlichen Charakter außer Zweifel zu halten, in liturgischer Kleidung hielt. Darauf wurden, entweder von einem kleinen Chor oder von den Zuhörern, einige Strophen eines Liedes gesungen. Während der Zeit ging ich an den Altar. In der ersten Zeit folgte eine Litanei; an deren Stelle trat nachher, von Heinrich Kahlefeld angeregt, ein selbstverfasstes Gebet, das sich aus dem Vortrag heraus entwickelte und dessen Gedanken ins unmittelbar Religiöse hinübertrug. Den Beschluss bildete der in deutscher Sprache gespendete schlichte Handsegen. Die Form war gut und überzeugend. Die Zuhörerschaft war zahlreich, und sie setze sich, wie wir es erhofft hatten, aus den verschiedenartigsten Menschen zusammen. Sie hörten mit einem Ernst und einer Konzentration zu, dass diese Predigtvorträge zu meinen stärksten Erinnerungen gehören.« (Berichte über mein Leben, 5. Auflage 1995, in: Stationen und Rückblicke/Berichte über mein Leben, Verlagsgemeinschaft Matthias Grünewald, Mainz/Ferdinand Schöningh, Paderborn, S. 110 f.).

Die Abendvorträge stellten also eine neuartige Form der Glaubensreflexion dar; sie waren weder Predigten noch Vorlesungen, sondern Impulse für ein möglichst breites Publikum und trugen mit ihrer Verortung in einer Kirche unübersehbar geistlichen Charakter. Guardini behandelte in ihnen die großen Themen des Glaubensbekenntnisses; seine Reflexionen flossen später ein vor allem in die beiden Bücher *»Glaubenserkenntnis. Versuche zur Unterscheidung und Vertiefung«* und *»Die letzten Dinge. Die christliche Lehre vom Tode, der Läuterung nach dem Tode, Auferstehung, Gericht und Ewigkeit«*.
Einige der Abschlussgebete vereinigte Guardini im Frühjahr 1944 zu einer Sammlung und gab ihr den Titel *»Theologische Gebete«*. Sie sollten, betont die Vorbemerkung, *»nicht nur einen lose angefügten geistlichen Ausklang bilden, sondern Vortragen-*

der und Zuhörer sollten sich mit ihnen aus den Einsichten der Stunde heraus betend an Gott wenden. Diese Aufgabe scheint über den besonderen Anlass hinaus gültig zu sein, denn wir müssen wieder lernen, dass nicht nur das Herz, sondern auch der Geist beten soll.« In den Gebeten soll also auch zum Ausdruck kommen, dass der zu Gott betende Mensch seinen Verstand nicht auszuschalten braucht, sondern dass er mit der ganzen ihm zur Verfügung stehenden Intellektualität vor das Geheimnis Gottes tritt.

Bis 2001 erreichten die *»Theologischen Gebete«* insgesamt zehn Auflagen. Bis zur 8. Auflage 1985 erschien das Werk unverändert als Einzeltitel der Carolusdruckerei im Verlag Josef Knecht. Die Auflagen neun und zehn von 1998 bzw. 2001 wurden dann mit dem *»Deutschen Psalter«* durch die Verlagsgemeinschaft Matthias Grünewald/Ferdinand Schöningh im handlich-kleinen Buch *»Psalter und Gebete«* zusammengespannt. Damals wurde aus dem Nachlass zusätzlich das *»Gebet in der währenden Stunde«* beigegeben, eine Gottesanrufung aus tiefer existentieller Not in jener Stunde, *»in der es ist, als habest Du uns verlassen«*. Dieses Gebet gehört also nicht zur ursprünglichen Zusammenstellung, die Guardini selbst vorgenommen hatte, sondern stammt aus einer Mappe mit dem Titel *»Inbegriff der Offenbarung«*. In ihr sammelte Guardini Entwürfe, Texte und vor allem Briefe an seinen Priesterfreund Josef Weiger, in denen er *»eine lange Zeit der Krankheit«*, vor allem die ihn dann bis zu seinem Tod stark belastende Trigeminusneuralgie sowie eine Gallenkolik, auch als *»Aufforderung«* verstand, *»sich innerlich auf das Andere vorzubereiten«*. Diese Materialien waren bereits 1976 vom Verlag Ferdinand Schöningh unter dem Titel veröffentlicht worden *»Theologische Briefe an einen Freund. Einsichten an der Grenze des Lebens«* (Neuausgabe: Matthias Grünewald/Ferdinand Schöningh 2017).
Während der *»Deutsche Psalter«* schon seit einigen Jahren wieder als separater Band in der Topos-Taschenbuchreihe vorliegt, sind nun auch die *»Theologischen Gebete«* mit der 11. Auflage als eigenständiger Band der Guardini-Werkreihe erneut greifbar. Ergänzt werden die Gebete in der vorliegenden Ausgabe durch den Aufsatz *»›Halte mein Herz wach …‹. Ein Blick auf Romano*

Guardinis ›Theologische Gebete‹ und deren gedankliche Voraussetzungen« von Professor Dr. Peter Reifenberg, Direktor des Erbacher Hofs/Akademie des Bistums Mainz. Die Erstveröffentlichung dieses Aufsatzes erscheint in dem Sammelband *»›In allem tritt Gott uns entgegen‹. Romano Guardini zum 50. Todestag«* (Matthias Grünewald Verlag 2018). Ich danke Herrn Professor Reifenberg sehr für die Zustimmung, seine Abhandlung hier als Nachwort einbringen zu können.

Romano Guardini hat bekanntlich häufig über Gebete und das Beten geschrieben. So widmete er sich beispielsweise in *»Das Gebet des Herrn«* von1932 dem Grundgebet der Christen und erschloss in elf Betrachtungen das Vaterunser und dessen Bitten. Auch in der ein Jahrzehnt später entstandenen Schrift *»Vorschule des Betens«* ging es ihm hauptsächlich um die Grundakte des Betens – Anbetung, Lob, Bitte und Dank – und um deren praktische Verwirklichung.

Vor allem aber Abschnitte aus den *»Theologischen Gebeten«* haben immer wieder in Gesang- und Gebetbücher verschiedener Konfessionen Eingang gefunden. So eröffnete im katholischen *»Gotteslob«* von 1975 der etwas gekürzte Text *»Einsicht und Bereitschaft zum Gebet«* den Teil *»Persönliche Gebete«*. Und im neuen *»Gotteslob«* von 2013 stammt der erste Teil des Abschnitts *»Die Welt vor Gott bringen«* ebenfalls aus den *»Theologischen Gebeten«*. Es ist der Schlussabschnitt aus dem Kapitel *»Die Erschaffung der Welt«*, ein Text, der auch häufig für Abdrucke in anderen Gebets- und Mediationsschriften nachgefragt wird:

»Immerfort empfange ich mich aus Deiner Hand.
So ist es und so soll es sein.
Das ist meine Wahrheit und meine Freude.
Immerfort blickt Dein Auge mich an,
und ich lebe aus Deinem Blick,
Du mein Schöpfer und mein Heil.
Lehre mich, in der Stille Deiner Gegenwart
das Geheimnis zu verstehen, dass ich bin.
Und dass ich bin durch Dich, und vor Dir, und für Dich. Amen

Die *»Theologischen Gebete«* enden mit der Meditation *»Die gute Ewigkeit«*. Als Gebet an der Grabstätte wurde sie zum Abschluss der Segnung der letzten Ruhestätte Guardinis durch seinen Freund, den emeritierten Münchner Weihbischof Ernst Tewes (1908–1998), in der neu gestalteten Seitenkapelle der Münchner Universitätskirche St. Ludwig am 14. Juli 1997 gebetet.

Die *»Theologischen Gebete«* wieder allgemein zugänglich gemacht zu haben, dafür bin ich dem Matthias Grünewald Verlag und dem Verlag Ferdinand Schöningh sehr dankbar, genauso wie in der konkreten Vorbereitung für ihre stete Mitsorge Prof. Dr. Alfons Knoll/Universität Regensburg und Stephan Höpfinger; gehören diese Texte doch wohl zu den bleibend gültigen Standardwerken der spirituellen Theologie. Aus ihnen spricht nicht nur die tief vom Glauben geprägte Existenz Romano Guardinis, sondern sie stellen auch ein Beispiel dafür dar, wie theologische Reflexion die Form des Gebets annehmen kann. Entsprechend lautet der Schlusssatz der Vorbemerkung Guardinis: *»Die Erkenntnis selbst soll in Gebet übergehen, indem die Wahrheit zur Liebe wird.«*

Dr. Florian Schuller
Direktor der Katholischen Akademie in Bayern

Romano Guardini

Theologische Gebete

Vorbemerkung

Die in diesem Heft gesammelten Gebete sind ursprünglich in der Kirche gesprochen worden, am Schluß von religiösen Abendvorträgen, in denen eine sorgfältige theologische Arbeit zu leisten war. Und zwar sollten sie nicht nur einen lose angefügten Ausklang bilden, sondern Vortragender und Zuhörer sollten sich mit ihnen aus den Einsichten der Stunde heraus betend an Gott wenden.
Diese Aufgabe scheint über den besonderen Anlaß hinaus gültig zu sein, denn wir müssen wieder lernen, daß nicht nur das Herz, sondern auch der Geist beten soll. Die Erkenntnis selbst soll in Gebet übergehen, indem die Wahrheit zur Liebe wird.

Frühjahr 1944

Zur dritten Auflage

sind die »theologischen Gebete« durchgesehen und in vielen Einzelheiten verbessert worden. Im ganzen sind sie geblieben, wie sie vor neun Jahren vorgelegt worden sind.

Frühjahr 1953

Die Klarheit in der religiösen Erfahrung

O Gott, Du trägst alles Seiende über dem Abgrund des Nichts und durchströmst es mit Deiner Macht, so daß es ist, und sich regt, und lebt. Und allen Dingen hast Du einen Funken Deiner Klarheit eingegeben, denn nur von Dir, dem Vater des Lichtes, haben sie ihre Wahrheit und ihren Wert.

Alles ist von Deinem Hauch durchwaltet und von Deinem Geheimnis erfüllt. Jedes Ding weist den Geist des Menschen über sich hinaus zu einem Höheren, als es selbst ist, und läßt sein Herz eine Mächtigkeit ahnen, die nicht aus seinem Eigenen kommt.

Daraus entstehen überall unter den Völkern und im einzelnen Menschen die Bilder und Gedanken vom Göttlichen. Sie enthalten oft einen tiefen Sinn, der das Herz berührt und Heil verheißt, aber auch Verworrenes und Böses, das in die Irre führt.

So bitte ich Dich, öffne mein Herz dem Geheimnis, das sich überall bezeugt; behüte es aber auch vor der Verführung, die von ihm ausgehen kann. Mache mein Gewissen sicher, daß es allezeit das Gute gut nenne und das Böse bös. Erleuchte meinen Geist, daß er zu unterscheiden vermöge, was zu Dir, dem wahrhaft Heiligen, hinführt, und was von Dir wegführt in Irre und Trug.

Amen.

Das Leben des Glaubens

O Gott, Du Schöpfer und Vater alles Lebens, Du hast uns das zeitliche Leben geschenkt, damit wir in ihm wachsen und uns vollenden. Du hast es in unsere Hand gegeben, damit wir es recht führen, und wirst einst Rechenschaft von uns fordern, was wir mit ihm gemacht haben.

Du hast uns aber noch ein anderes Leben geschenkt. Es erwacht, zu der Stunde, die Deine Gnade bestimmt, vor dem Zeugnis Deiner Offenbarung. Es kommt aus der Ewigkeit, und der Heilige Geist, der Lebenspendende, ist es, der es in uns schafft. Auch dieses Leben hast Du in unsere Hand gegeben. Wir können es in Ehren halten, aber auch vergeuden; können bemüht sein, daß es wachse und reife, es aber auch vernachlässigen und zu Grunde gehen lassen. Und einst wirst Du von uns Rechenschaft fordern, was wir mit ihm gemacht haben.

Laß mich immer wissen, o Herr, daß dieses heilige Leben in mir ist. Laß mich inne bleiben, daß es wirklicher ist als alles Leben der Zeit. Laß mich seine göttliche Kostbarkeit fühlen, in welcher der letzte Sinn unseres Daseins liegt.

Gib mir großen Ernst in allem, was den Glauben betrifft. Lehre mich erkennen, wessen er bedarf, um bestehen und Frucht tragen zu können. Mache mich vertraut mit seiner Kraft, aber auch mit seiner Schwäche. Und wenn sich im Gang der Jahre mein Empfinden wandelt, und mit ihm zwar nicht der heilige Inhalt, wohl aber die menschliche Form meines Glaubens, dann lehre mich, diesen Wandel zu verstehen und in den Erprobungen Stand zu halten, die er bringt, damit mein Glaube von Gestalt zu Gestalt wachse und reife, wie Du, o Ordner alles Lebens, es gewollt hast.

Amen.

Der eine und lebendige Gott

Herr, lebendiger Gott, Du bist der Eine und Einzige, und kein anderer ist neben Dir. Alles Göttliche ist Dein, und was sich Dir nicht zu eigen gibt, ist ein Raub an Dir.
In Gnaden hast Du uns Dein Wesen offenbart und Deinen Namen kundgetan. Wir glauben an Dich. Bewahre uns in diesem Glauben, o Herr, denn in ihm allein sind wir bewahrt, und Deine Ehre ist unsere Ehre, und Deine Herrschaft ist unser Heil.
Du hast die Welt geschaffen und uns in ihr. Wesen und Sein, Leben und Sinn, alles kommt aus Deinem allmächtigen und liebenden Wort. So neigen wir uns vor Dir, o Herr, und beten Dich an.
Du bist der Heilige; wir aber sind sündig und bekennen es. Wir danken Dir, daß Du es uns kundgetan, denn es ist Wahrheit; nur die Wahrheit aber vermag neu zu beginnen und zu überwinden.
Du, o Gott, bist der Herr. Herr in Dir selbst, von Wesen und in Ewigkeit, wie Du Deinem Boten geoffenbart, als Du ihm gesagt: »Ich bin, der Ich bin.« Und Herr der Welt, denn Du hast sie erschaffen und regierst sie. Deine Herrschaft aber achtet die Freiheit Deiner Geschöpfe und gibt ihnen Raum, zu wollen und sich zu entscheiden. Gib, daß ich Dich nicht vergesse und Deine Großmut nicht mißbrauche – heiliger und gütiger Gott, Herr unseres Daseins, bewahre mich davor!
Ich bete Dich an, o Gott, denn Du allein »bist würdig, zu empfangen die Lobpreisung und die Ehre und die Macht«.
Amen.

Die Erschaffung der Welt

O Gott, Deine Offenbarung ist ein Licht für unseren Geist, daß er verstehe, und ein Ruf an unser Herz, daß es höre und gehorche. So lehre uns, die Botschaft, daß Du den Menschen und mit ihm alle Dinge geschaffen hast, recht in uns aufzunehmen.
Durch Dich sind wir geworden. Wir kommen nicht aus den stummen Elementen, sondern aus der freien Macht Deines herrscherlichen Wortes; nicht aus dem Urgrund der Welt, sondern aus Deiner lichten Wahrheit.
Und durch Dich sind auch alle Dinge geworden. Die Welt ist nicht im eigenen Geheimnis ruhende Natur, sondern Dein Werk. Du hast sie erdacht und hast bewirkt, daß sie sei. Aus Dir hat sie Wirklichkeit und Kraft, Wesen und Sinn, und Du hast über sie das Zeugnis abgelegt, daß sie »gut« ist und »sehr gut«.
Ich glaube, daß alles von Dir geschaffen ist, o Gott. Lehre mich, diese Wahrheit zu verstehen. Sie ist die Wahrheit des Daseins. Wird sie vergessen, dann sinkt alles in Unrecht und Torheit. Mein Herz ist einverstanden mit ihr. Ich will nicht aus eigenem Recht leben, sondern freigegeben durch Dich. Nichts habe ich von mir selbst; alles ist Gabe von Dir und wird erst mein, wenn ich es von Dir empfange.
Immerfort empfange ich mich aus Deiner Hand. So ist es, und so soll es sein. Das ist meine Wahrheit und meine Freude. Immerfort blickt Dein Auge mich an, und ich lebe aus Deinem Blick, Du mein Schöpfer und mein Heil. Lehre mich, in der Stille Deiner Gegenwart das Geheimnis zu verstehen, daß ich bin. Und daß ich bin durch Dich, und vor Dir, und für Dich.
Amen.

Die Erschaffung des Menschen

O Herr, Du hast alle Dinge erschaffen. Du hast ihnen ihr Wesen gegeben, sie in ihre Mitte gegründet und ihnen ihr Maß gesetzt. Sie sind von Deinem Geheimnis erfüllt, und wenn das Herz fromm ist, wird es davon berührt.
Auch uns Menschen, o Herr, hast Du ins Dasein gerufen und uns zwischen Dich und die Dinge gestellt. Nach Deinem Ebenbilde hast Du uns geschaffen und uns Anteil an Deiner Herrschaft gegeben. Du hast Deine Welt in unsere Hand gelegt, daß sie uns diene und wir in ihr unser Werk vollbringen. Wir aber sollen Dir untertan sein, und unser Herrschen wird zur Empörung und zum Raub, wenn wir uns nicht neigen vor Dir, der Du allein die ewige Krone trägst und Herr bist aus eigenem Recht.
Wunderbar, o Gott, ist Deine Großmut. Du hast nicht für Dein Herrentum gefürchtet, als Du ihrer selbst mächtige Wesen schufest und Deinen Willen ihrer Freiheit anvertrautest. Groß und wahrhaft königlich bist Du!
Du hast die Ehre Deines Willens in meine Hand gegeben. Jedes Wort Deiner Offenbarung sagt, daß Du mich achtest und mir vertraust, mir Würde und Verantwortung gibst. Lehre mich, das zu verstehen. Gib mir die heilige Mündigkeit, welche fähig ist, das Recht, das Du gewährst, zu empfangen, und die Verantwortung, die Du überträgst, auf sich zu nehmen. Halte mein Herz wach, daß es allezeit vor Dir sei, und laß mein Tun zu jenem Herrschen und Gehorchen werden, zu dem Du mich berufen hast.
Amen.

Das Geheimnis der Gnade

Durch Deine Schöpfung, o Herr, geht eine Stimme, die uns an etwas mahnt, das über allem Geschaffenen ist. Die Dinge und ihre Ordnungen, Erde, Sonne und Gestirne scheinen Wirklichkeit einfachhin; unser Herz aber weiß, daß sie aus Deiner heiligen Freiheit hervorgehen, und Gaben sind, die immer aufs neue empfangen werden sollen. So weisen sie zu etwas hinauf, das über ihnen ist; aber was das sei, sagen sie nicht.

Stärker wird diese Weisung in unserem eigenen Leben. Pflanze und Tier wachsen aus ihrer Natur hervor und vollenden sich in ihr; nicht so der Mensch. Er kommt zu sich selbst erst in der Begegnung mit dem Anderen, er gewinnt sein eigenes Wesen nur, wenn er sich dem Anderen schenkt. Es gibt aber nichts Irdisches, das ihm zur letzten erfüllenden Begegnung werden könnte; so ist er immer unterwegs und sucht.

Doch was er in Wahrheit sucht, erringt er nicht aus eigener Kraft. Die Gnade erst ist es, die es ihm gibt. An ihr hängt unser Heil, aber wir haben weder ein Recht auf sie, noch Macht, sie zu erzwingen. Sie muß sich uns offenbaren, dann erst erkennen wir sie. Sie muß sich uns geben, dann erst besitzen wir sie. Und erst in ihr empfangen wir unser eigenstes Selbst, das Du, o Gott, uns zugedacht hast, als Du uns schufest.

Im Werk Deiner Erlösung, o Herr, hast Du ein neues Werk begonnen. Du selbst bist gekommen und hast den Menschen angerufen. Dein Wesen, verborgen vor aller Schöpfung, ist »ihm aufgeleuchtet im Antlitz Jesu Christi«. Du hast ihm seine Verlorenheit gezeigt und ihm Vergebung geboten. Deine Liebe und Deine Heiligkeit sind ihm entgegengeströmt: nun kann er sie aufnehmen und ihrer teilhaftig werden.

Das alles ist Dein freies Geschenk und doch Antwort auf unser innerstes Verlangen. Wir können es nicht aus eigener Kraft erdenken; aber wenn Du es offenbarst, fühlen wir, daß es die Wahrheit ist, aus der wir leben. Wir müssen sie aufrecht halten gegen den Einspruch der Welt und gegen den Widerspruch unserer eigenen Unzulänglichkeit; wenn aber unser Herz offen ist, redet sie in seinem Innersten und trägt unser Dasein.

Wecke in mir, o Herr, die heilige Unruhe, daß ich allezeit nach Dir suchen müsse. Lehre mich das Geheimnis verstehen, nach

dem Du mein Wesen geschaffen hast: daß ich nur leben kann aus dem, was über mir ist, und mich verliere, sobald ich mich in mich selbst stelle. Nimm meine Hand; hilf mir, zu Dir hinüberzugehen, damit ich in Dir mich wahrhaft finde.
Amen.

Das rechte Verhältnis des Menschen zu Gott

O Gott, Du hast den Menschen geschaffen und sein Wesen wunderbar begründet. Du hast gewollt, daß er unter den Werken Deiner Weisheit lebe, in immer neuer Begegnung mit ihnen seine Kräfte entfalte und der eigenen Freiheit mächtig werde. Der Umgang mit den Dingen der Welt aber soll vorbereiten auf die Begegnung mit Dir. Du bist der Eigentliche; einem jeden von uns das letzte und allein erfüllende Du. Auf Dich sind wir hingeordnet, und nur in Dir vollendet sich unser Wesen so, wie Du es gewollt hast. Du bist die Wahrheit, die jeder endlichen Wahrheit ihre Gewähr gibt. Du bist die Heiligkeit, die alles Gute unantastbar macht. Du bist das Herz, nach dem wir suchen. »Zu Dir hast Du uns hingeschaffen, und unser Herz ist unruhig, bis es Ruhe findet in Dir«.
In der Achtung, mit der Du, o Gott, mich achtest, ist meine Würde begründet. In Deiner Ehre ruht meine Ehre. Wenn ich Dich verlasse, bin ich wie der Mann, von welchem Dein Apostel spricht: »Er blickte in den Spiegel und sah sein Angesicht; dann ging er fort und vergaß, wer er war«. Du bist der heilige Spiegel, in dem ich allein meines ewigen Antlitzes gewiß und meiner Verantwortung inne werde. Wenn ich von Dir gehe, entgleite ich mir selbst, und die Mächte der Welt, die mir dienen sollen, werden Herr über mich.
Halte mich in der heiligen Verbundenheit mit Dir. Mache mein Herz unbestechlich, daß es durchschaue, was von Dir wegführt. Und gleichwie die Notwehr erwacht, sobald das Leben bedroht ist, so laß mein Innerstes sich aufrichten wider alles, was mich von Dir trennen will.
Amen.

Die Urschuld

Herr, Deine Offenbarung belehrt uns, daß am Anfang der Menschengeschichte ein Unrecht steht: eine Empörung gegen Dein heiliges Gebot, ein Frevel gegen Deine ewige Majestät. Sie sagt uns, daß jene, die einst dieses Unrecht begingen, nicht nur zwei aus der großen Zahl, sondern unsere Ahnen waren, und wir darum ihre Tat mit verantworten müssen.

Die Lehre ist »hart zu hören«. Unser Herz fragt: was gehen jene mich an? Im Grunde aber weiß es, daß Deine Worte wahr sind. Vor aller persönlichen Schuld liegt eine andere, tiefere. Sie geht dem einzelnen Entschluß voraus und übersteigt die Maße des einzelnen Willens. In der Gemeinsamkeit der Menschenschuld stehen wir vor Dir und wollen uns der Verantwortung nicht entziehen.

Diese Schuld hat alles Geschaffene erschüttert; aber es hat darum nicht aufgehört, Dein Werk zu sein, und Deine Heiligkeit ist stärker als alles Böse. Die Schuld hat das Menschendasein von Dir weggerissen, sein Bild verstört und seine Kräfte verwirrt; Du aber hast es nicht losgelassen, und nie hat Deine Liebe zu ihm aufgehört.

Daß Deine Offenbarung uns gezeigt hat, wie es mit uns steht, war schon Erlösung; denn die Sünde, welche die Erkenntnis an sich reißen wollte, war zur Blindheit geworden und kannte sich selbst nicht mehr. Die einzelne Schuld erkannten wir; die Urschuld, welche durch alles hindurchgeht, erkannten wir nicht. Wir rechtfertigten uns und wußten nicht, was wir taten. Nun hast Du uns gelehrt, die Wahrheit zu sehen, und darin hat schon neues Leben begonnen.

Laß mich immer tiefer verstehen, was ich bin, aber auch, wer Du bist, Du Gott der Liebe. Wecke in mir den Ernst, der im Glauben belehrt ist und die Zuversicht, die auf Deine Gnade vertraut. Amen.

Gottes Heiligkeit

Du bist der Heilige, o Gott. Du bist das lebendige Geheimnis. Alles hast Du erschaffen und alle Dinge erfüllest Du. Alle Gestalten sind Gleichnisse Deiner Herrlichkeit, und was überall Sinn und Wert hat, hat ihn als wie einen Abglanz Deines Lichtes. So bist Du der wahrhaft Gegenwärtige und Offenbare. Und dennoch bist Du verhüllt, denn unser Blick ist gehalten und unser Herz verwirrt. Du entschwindest unseren Augen, und Dein Licht wird zur Unzugänglichkeit, in die wir nicht eintreten können. Du entziehst Dich unseren Gedanken, und zu allem, was wir von Dir sagen mögen, sprichst Du: Das bin ich nicht.

Aber wir ahnen Dich überall, o Herr. In Dir ist die Antwort auf alle Fragen. Du bist uns vertrauter als der nächste Mensch. Und wenn Du das Herz berührst, weiß es: wahrhaft wissen kann es nur um Dich.

Du bist der Heilige, o Gott. Reinheit und Gutheit, und Gerechtigkeit, und Adel sind Namen, die in Dein Wesen deuten. Nichts Unlauteres kommt in Deine Nähe. Auf das Böse antwortet Dein Zorn, und es ist ein Geheimnis Deiner Großmut, daß die böse Tat den, der sie vollbringt, nicht vernichtet.

Wenn ich Deine Heiligkeit empfinde, muß ich wie Petrus sprechen: »Herr, geh weg von mir, denn ich bin ein sündiger Mensch«. Sofort aber fügt mein Herz hinzu: Tu es nicht, o Herr, denn was sollte aus mir werden, wenn Du weggingest? Ich bin Deiner Nähe nicht würdig; aber »zu wem sollte ich gehen«, wenn nicht zu Dir? Denn Du bist mein Heil und meine Heimat. So bitte ich Dich, lehre mich, mit Dir umzugehen. Lehre mich die Ehrfurcht und das Vertrauen, die Reue und die Liebe, die Furcht und das Verlangen. Lehre mich, Dich zu suchen und im Suchen auszuharren – und laß es nicht zu lange währen, o Herr, bis ich Dich finde.

Amen.

Die Erkenntnis der Sünde und der gute Wille

Herr und Gott, unser Heil hängt daran, daß wir erkennen, was unrecht in uns ist, aber aus uns selbst sind wir dessen nicht fähig. Die Sünde hat unser ganzes Sein erfaßt; sie ist auch in unser Auge gedrungen, und wenn wir auf uns blicken, sehen wir nicht, wie wir sind.

Als die Menschen sündigten, lebten sie in der heiligen Gemeinschaft mit Dir, durch Deine Gnade über sich hinausgehoben, Dir zugewendet und ebendarin ihrer selbst mächtig. Durch die Sünde zerbrach die heilige Verbindung; sie fielen zurück und waren nicht mehr, was sie vorher gewesen.

So verstanden sie sich selbst nicht mehr, und nicht, was sie getan. Wenn aber nun der Mensch Deine heilige Nähe empfand, dann fühlte er wohl die Schuld und die Zerstörung, aber er wußte nicht, was sie bedeute. Er war wie einer, der vergessen hat, was er getan, und nur fühlt, daß er nicht gut war.

Aus Deiner Offenbarung allein vermögen wir uns zu erkennen. Durch das, was Du getan, um die Sünde zu lösen, verstehen wir, was sie vor Dir bedeutet. Dein ewiger Sohn ist Mensch geworden und hat unter uns gelebt; am Schicksal, das Er erfahren, gehen uns die Augen dafür auf, worum es ging – für uns, o Herr, und für Dich selbst.

Heiliger Gott, lehre mich Deine Liebe erkennen, damit mir aufgehe, wie groß meine Schuld ist, Laß aber diese Erkenntnis auch zur Zuversicht werden. Mache mich der heiligen Entschlossenheit inne, mit der Du die Welt retten und die neue Schöpfung heraufführen willst, und hilf meinem Willen, mit dem Deinen eins zu werden.

Amen.

Gottes Größe

Du bist groß, o Herr, und Deiner Herrlichkeit ist kein Maß. Alles bist Du. Alles vermagst Du. Unendlichen Lebens voll, bedarfst Du keines Dings, sondern ruhest in ewiger Freiheit.
Deine Macht ist aber nicht nur Kraft, sondern Wahrheit und Gerechtigkeit. Deine Herrlichkeit ist nicht nur Gewalt, sondern Reinheit und Güte. Und Dein Sein ist nicht nur Wirklichkeit, sondern heiliger Sinn.
Du bist so viel wahr, als Du seiend bist; so viel gerecht, als Du mächtig bist; so viel gütig, als Du stark bist; und Deine Wirklichkeit, o Herr, vor der die unsere verweht, ist mit Deiner Heiligkeit ganz eins, o ewiges Licht. So bist Du, »der Herr, Gott, der Allherrscher, der da ist und der da war«, und »würdig, den Lobpreis zu empfangen und die Ehre und die Macht«.
Lehre mich, das Geheimnis Deiner Hoheit zu erkennen. Laß mich inne werden, daß im Neigen vor Dir mein Wesen sich erfüllt. So viel mir das aufgeht, bin ich in der Wahrheit. So viel ich das tue, bin ich heil. In Deiner Anbetung, ewiger Gott, bin ich geborgen; und mein Leben verliert sich in Trug und Verwirrung, wenn ich das vergesse.
Schenke uns, o Herr, die Freude an Deiner Herrlichkeit. Wenn wir sie haben, sind wir reich. »Wir loben Dich, wir preisen Dich, wir beten Dich an, wir sagen Dir Dank ob Deiner großen Herrlichkeit« – so lehrt uns die Kirche zu sprechen: gib uns die Gnade, es in der Freude des Herzens zu tun.
Amen.

Die Erkenntnis Christi

Allmächtiger und unerschöpflicher Gott, Du hast die Welt geschaffen und alles, was in ihr ist. Du hast die Dinge in die Wahrheit und Kraft ihrer Wesensgestalten gegründet, und jedes trägt seinen Sinn in sich nach seiner Art. Uns Menschen aber hast Du die Fähigkeit gegeben, diese Gestalten zu erfassen: Augen, sie zu schauen; Ohren, sie zu vernehmen; ein Herz, das von ihnen berührt wird und Hände, mit ihnen umzugehen.

Unter all die stummen Dinge, unter all die Formen des wachsenden und sich regenden Lebens, in die Menschenwelt mit der Unabsehlichkeit ihrer Erscheinungen hast Du Deinen Sohn gesendet. In der Fülle der Zeit ist Er Mensch geworden und steht nun als Deine lebendige Offenbarung unter uns. Seine Gebärde und sein Tun, sein Wort und sein Schicksal – alles verkündet Dich, den Gott, von dem die Welt aus Eigenem nicht weiß.

So bitte ich Dich, gib mir ein Auge, das fähig ist, Jesus Christus zu sehen; ein Ohr, das sein Wort versteht; ein Herz, das von seinem Herzen berührt ist, und lehre meine Hand, sich vertrauend in die seine zu legen.

Er ist »das Licht der Welt«, aber auch das »Zeichen, dem widersprochen wird«. Er ist es für jeden von uns. Wir alle stehen in der Gefahr des Ärgernisses: berühre Du unser Inneres und wecke in uns den guten Willen, damit wir sie bestehen.

Lehre mich, das Geheimnis des neuen Anfangs zu erkennen. Laß mich ahnen, was Glauben heißt: hinüberzugehen zu Deinem Boten und von Ihm aus alles neu zu beginnen. Schenke mir den heiligen Mut, der sich dieses göttlichen Wagnisses freut, es immer aufs neue angeht und durch alle Anfechtung hindurch vollendet.

Amen.

Der Vater und der Sohn

In Jahrhunderten der Gnade und Geduld hast Du, o Gott, Dich durch das Wort Deiner Propheten offenbart: als den Lebendigen, den Heiligen, den Schöpfer und Herrn, der unter den Menschen eine geheimnisvolle Geschichte führt und jeden nach Seinem Ratschluß ruft. Das Herzgeheimnis aber Deines Lebens ist verborgen geblieben. Erst »als die Zeit erfüllt war«, hast Du »es in unseren Herzen tagen lassen zum strahlenden Aufgang der Erkenntnis von Deiner Herrlichkeit im Antlitz Jesu Christi«.

»Niemand, Vater, hat Dich je gesehen; nur der einziggeborene Sohn, der an Deinem Herzen war, hat uns Kunde gebracht«. Er war Deine lebendige Offenbarung, und »wer Ihn sah, der sah Dich«.

Niemand hat den Sohn gekannt, der »im Anfang bei Dir war«, und dem »alles gehört, was Dein ist«. Aber Du hast Ihn zu uns gesendet, daß Er unser Erlöser werde; und denen Du die Augen aufgetan, die »haben die Herrlichkeit des Einziggeborenen geschaut, voll der Gnade und Wahrheit«.

Sei gepriesen, o Gott, der Du lebendig bist über alles menschliche Leben hinaus. Du hast Dich uns geoffenbart, und ich glaube Deinem Wort. Ich will keinen Gott nach meinem eigenen Bilde, der mich in die Welt versiegelt, sondern verlange nach Deiner heiligen Wirklichkeit, und wie sie mir entgegentritt, so sei sie aufgenommen. »Ich glaube, Herr; hilf meinem Unglauben!«

So bete ich an das Geheimnis Deines verborgenen Lebens; die Gemeinschaft, die zwischen Dir ist, o Vater, und Dir, o Sohn, in der unzugänglichen Stille der Ewigkeit, wo »der Sohn am Herzen des Vaters ist«.

Dort ist auch meine Heimat. Ihr Licht »hat kein Auge je geschaut«; ihr Frieden »ist in keines Menschen Herz gedrungen«, aber mein Innerstes verlangt nach ihr. Laß die Kunde, die von dorther gekommen ist, in mir immer lebendiger werden.

Amen.

Das Verständnis der Erlösung (I)

Aus dem Munde Deines Sohnes, o Herr, vernehmen wir die Botschaft der Erlösung. Sie geht nicht aus den Erfahrungen unserer Lebensnot hervor, sondern aus Deinem freien, heiligen Ratschluß. Unser Herz kann auf sie warten, unser Verlangen kann ihr entgegengehen – aber nur, wenn Deine Liebe den ersten Schritt tut; denn schon daß wir auf sie warten und ihr entgegengehen, ist ihr Werk. So steht es unserem Geiste auch nicht zu, darüber zu urteilen, was von Dir her Erlösung heißt, und wer Du bist, der diese Erlösung vollbringt. Tut er das, dann ist er wie ein Blinder, der über die Dinge des Lichtes redet. Nur wenn uns die Augen dafür aufgehen, wer Du bist, verstehen wir, wie Du erlösen könntest; aber nur aus Deinem heiligen Handeln geht uns das Bild Deines Wesens auf.

Das ist nicht der Trug eines Glaubens, der aus seinem eigenen Willen seine Wahrheit beweist. Wir entziehen uns nicht der Forderung, Rechenschaft zu geben, indem wir uns blind in ein Geheimnis werfen. Hier ist vielmehr Anfang; und kein Anfang kann von außen her erwiesen werden, sondern erschließt sich aus ihm selbst. Er ist der heilige Anfang; der zweite nach dem ersten der Schöpfung; der Beginn jenes neuen Werdens, das sich durch den Gang des alten hin vollzieht; und glauben heißt, in ihn eintreten. So glaube ich, o Herr, an diesen heiligen Anfang, wie er sich im Lichte von Deines Sohnes Antlitz, in der göttlichen Wahrheit seiner Worte, in der Macht seiner Gebärde, im Zeugnis seines ganzen Daseins erschließt. Er ist die wesenhafte Offenbarung. In Ihm bist Du, unbekannter, verborgener Gott, in die Offenheit getreten.

Die Erlösung ist das Werk Deiner Liebe. Deine Liebe aber, o Gott, geht so über allen menschlichen Sinn, daß er daran Ärgernis nehmen und im Namen Deiner Reinheit selbst Einspruch erheben muß, wenn er nicht erkennt, daß die Botschaft von ihr die Botschaft einfachhin ist.

Du bist Der, der so liebt. Du bist Jener, der liebend unser Schicksal so ans Herz genommen hat, daß Er um unseretwillen selbst Schicksal auf sich nahm.

»Zeige mir Dein heiliges Angesicht«, daß ich sehe, wer mein Gott ist. Lehre mich Deine Liebe verstehen, und verstehen, was sie getan hat.
Amen.

Das Verständnis der Erlösung (II)

O Herr, Du hast alles erschaffen, und alle Dinge sind voll von Bildern Deiner ewigen Gedanken. Die Dinge der Welt, die Gestalten der Geschichte, die Bewegungen unseres Gemütes lehren uns, zu ahnen, was Du liebend im Sinn hast mit uns.
An uns ist es, diese Bilder richtig zu verstehen. Sie können uns zu Wegweisern werden, die uns in das Geheimnis Deiner Erlösung führen; zu Wegbereitern Dessen, der von Dir ausgegangen ist, die Welt in ihre Wahrheit zurückzuwenden. Sie können aber auch zu Irrgestalten werden, in denen unser Geist sich verliert; zu Netzen und Fallen, in denen unser Herz sich verfängt.
Gib mir die heilige Klarheit, die selbst schon eine Frucht der Erlösung ist, damit ich die Weisungen erkenne, die zu Dir führen. Hilf mir, den wahren Sinn der Worte zu verstehen, die aus der Offenbarung kommen und schon seit so langem im Zerfall begriffen sind.
Bewahre mich davor, die Erlösung billig zu nehmen. Gib, daß ich mich nicht mit irgendeiner oberflächlichen Befreiung zufrieden gebe, welche doch die große Verfangenheit, um die es eigentlich geht, nicht aufheben kann. Lehre mich die heilige Ungenügsamkeit, die nach Erlösung verlangt – aber nach der wirklichen und vollen, die »allen Sinn übersteigt«, weil sie so groß ist wie Deine Liebe.
Amen.

Das Verständnis der Erlösung (III)

Herr Jesus Christus, der Ratschluß des Vaters hat Dich in die Welt gesendet, und Du bist gekommen und hast »alle Gerechtigkeit erfüllt«. Du hast den Vater mit vollkommener Liebe geliebt und die Welt zu ihm zurückgewendet, und darin ist sie heil geworden. Du hast unser Dasein in Dein Herz aufgenommen es durchlebt und durchgelitten, und darin hat seine Schuld die Sühne gefunden. Das ist geschehen und bleibt für alle Zeit. Du bist der Anfang der neuen Schöpfung. Dieser heilige Anfang ist nun da, und er wird sich nicht verschließen bis ans Ende aller Dinge.

Ich habe das erwogen, aber Sprechen und Hören hilft zu nichts, wenn Du, o Herr, nicht die Wahrheit im Innern aufleuchten lässest. So bitte ich Dich, wende Dich zu mir. Laß mich erkennen, wer Du bist. Laß mein Herz das Heilige fühlen, das in Dir gekommen ist. Laß mich die Herrlichkeit sehen, die in Deinem Antlitz leuchtet. Aus Deinem Wesen und Wort, aus Deinem Tun und Deinem Schicksal laß mich gewiß werden, daß in Dir die erlösende Wahrheit und Liebe nahe ist.

Du bist der Weg, die Wahrheit und das Leben. Du bist der Anfang der neuen Schöpfung. Gib mir den Mut, es mit diesem Anfang zu wagen, und nicht nur im flüchtigen Gefühl, sondern in dem Ernst, der weiß, daß es um das ewige Schicksal geht. Laß mich erkennen, worin die Umkehr besteht; und sie in der Wirklichkeit meines täglichen Lebens vollziehen. Und wenn ich erfahre, wie verstrickt im Alten ich bin, gib mir die Treue, die ausharrt, und die Zuversicht, die immer wieder beginnt, sooft auch alles zu versagen scheint.

Amen.

Jesu Demut

Dein Apostel hat von Dir gesagt, o Herr, daß Du in der Ewigkeit »warst in Gottes Gestalt«, der Sohn des Vaters, Ebenbild seiner Heiligkeit und Genosse seiner Glorie. Du hast aber »das Gott-gleichsein« nicht wie einen Raub angesehen, den der Räuber ängstlich festhält, sondern großmütig »Dich selbst entäußert. Du hast die Gestalt des Knechtes angenommen, bist im Bilde des Menschen erschienen und im Verhalten erfunden worden wie ein Mensch. Du hast Dich selbst erniedrigt, gehorsam bis zum Tode, ja bis zum Tod am Kreuz.«

Du bist den Menschen nachgegangen in ihre Gottesferne. Deine Demut ist hinabgestiegen bis in die Tiefe der Verlorenheit und hat uns heimgeholt. Darum »hat Dich auch Gott so hoch erhöht, und Dir den Namen gegeben, der über allen Namen ist, auf daß sich in Deinem Namen beugen alle Knie, und alle Zungen bekennen, daß Du, Jesus Christus, der Herr bist«.

Darum beuge auch ich, o Herr, meine Knie in Deinem Namen, und bekenne: Du bist der Herr, der Erlöser und Bringer des Heils.

Sünde ist Blindheit: so bitte ich Dich, mein Erlöser, befreie mich vom Trug des Hochmuts. Lehre mich sehen, wer ich bin, und wer Du bist. Berühre mein Herz, daß es empfinde, was Du getan.

In jenen Stunden, o Herr, als Du unser Schicksal wendetest, warst Du ganz einsam. Niemand war bei Dir; kein Verstehen war und keine Liebe. Allein hast Du unsere Schuld vor Gottes Gerechtigkeit getragen. Nun aber hast Du uns in Deine Erlösung aufgenommen, und ich bitte Dich, gib mir, daß ich um Dich wisse und mit meiner Liebe bei Dir sei.

Amen.

Das Kommen des Heiligen Geistes

Als unser Herr Jesus Christus am Abend zum letzten Mal mit den Seinen zusammen war und »ihnen seiner Liebe letzte Vollendung gab«, versprach Er ihnen, sie sollten nicht allein zurückbleiben, sondern Er werde ihnen »einen anderen Fürsprecher« senden, Dich, den »Geist der Wahrheit«. Du bist denn auch gekommen im Brausen und Flammen des Pfingstfestes, und bist nun bei uns.

Du führst einen jeden von uns auf dem Wege zum Heil. Du lenkst Gottes Reich durch das Dunkel und die Verworrenheit der Zeiten. Und durch alles hin, was geschieht, wirkst Du das Werk der neuen Schöpfung, die einst offenbar werden soll, wenn »der Herr wiederkommt, zu richten die Lebendigen und die Toten«.

O Heiliger, Du bist uns gegeben nach der Weise des Geistes. Du bist bei uns in einem immer neuen Kommen. Du stehst uns zur Seite in einem immer neuen Herantreten. Und das neue Leben haben wir, indem Du es uns immer aufs neue gibst. So bitten wir Dich, erfülle an uns die Sendung, zu welcher der Sohn Dich gesandt hat.

»Nimm«, o Geist Jesu Christi, »was sein ist, und gib es mir«, damit es mein werde. Laß Dein Licht in mir aufleuchten, damit ich seine Wahrheit erkenne. Binde mein Herz zu der Treue des Glaubens, damit mich nichts von ihr abwendig mache. Und lehre mich lieben, denn ohne die Liebe ist die Wahrheit tot. »Nicht darauf steht ja die Liebe, daß wir aus uns Gott zu lieben vermöchten, sondern daß Er uns zuerst geliebt hat.« Überzeuge mein Herz von Gottes Liebe, und gib mir die Kraft, Ihn wieder zu lieben, damit »ich in Gott bleibe und Er in mir«.

Du, o Geist, führst die neue Schöpfung herauf in der alt gewordenen Welt: erfülle mich mit Zuversicht in Deine heilige Macht. Sie ist nicht irdischer Art, und unter den Gewalten und Klugheiten der Erde scheint sie oft töricht und schwach. So gib meinem Herzen die Hoffnung auf »die Freiheit der Herrlichkeit der Kinder Gottes«.

Aus Dir, o Heiliger Geist, hat unser Herr gelebt und in Deiner Kraft hat Er »die Welt überwunden«. Die Welt aber sind wir selbst: unser selbstsüchtiges, blindes, törichtes Herz. Nimm es in

Deine Macht, mach es willig und weit, damit Er in uns leben könne und wir in Ihm.
Amen.

Der dreieinige Gott

In Christus ist uns die Tiefe des verborgenen Gotteslebens aufgegangen. Sein Wesen, Reden und Tun sind ganz von der Wirklichkeit des Heiligen erfüllt. Aus dieser treten aber lebendige Gestalten hervor: der Vater in seiner Allmacht und Güte; der Sohn in seiner Wahrheit und erlösenden Liebe und zwischen ihnen der Selbstlose, der Schöpferische, der Geist.

Es ist ein Geheimnis, das allen Sinn übersteigt; und die Gefahr, an ihm Ärgernis zu nehmen, ist groß. Ich will aber keinen Gott, der sich den Maßen meines Denkens fügt und nach meinem Bilde gebildet ist. Ich will den wirklichen, und weiß, daß Er meine Gedanken sprengen muß. So glaube ich denn, Lebendiger Gott, an Dein Geheimnis, und Christus, der nicht lügen kann, ist sein Bürge.

Wenn ich nach der Vertrautheit der Gemeinschaft verlange, muß ich zum anderen Menschen gehen; und mag die Verbundenheit noch so tief und die Liebe noch so innig sein, wir bleiben doch immer getrennt. Du aber findest Dein »Du« in Dir selbst. In Deiner eigenen Tiefe führst Du das ewige Gespräch. In Deinem eigenen Reichtum geschieht das immerwährende Schenken und Empfangen der Liebe.

Ich glaube, o Gott, an Dein dreieiniges Leben. Um Deinetwillen glaube ich daran, denn dieses Geheimnis hütet Deine Wahrheit. Sobald es preisgegeben wird, zerrinnt Dein Bild in die Welt. Aber auch um unseretwegen glaube ich daran, o Gott, denn der Friede Deines ewigen Lebens soll unsere Heimat werden. Deine Kinder sind wir, o Vater; Deine Brüder und Schwestern, Sohn Gottes, Jesus Christus; und Du, Heiliger Geist, bist unser Freund und Lehrer.

Das ist jenes ewige Leben, das uns verheißen ward. Zu ihm geht unsere Hoffnung. Bewahre mich davor, o Gott, daß sein Licht, welches so fern und doch so heilig herüberleuchtet, mir je erlösche.

Amen.

Die Vorsehung

Alle Dinge, o Herr, hast Du »nach Maß und Zahl und Gewicht« geschaffen, und was sich ereignet, geschieht in den Ordnungen Deiner Weisheit. Dem Menschen hast Du die Freiheit gegeben, daß er aus seinem eigenen Willen heraus handle. Sobald er aber seine Tat vollbracht hat, steht sie in den Gefügen der Wirklichkeit; er kann sie nicht mehr aufheben, sondern muß von ihr aus weitergehen.

So hast Du sein Dasein gewoben. In allem sollte Deine Gerechtigkeit und Güte leuchten; doch der Mensch hat sich von Dir wegverloren, und die Ordnung Deiner Liebe in das dunkle Bild des Schicksals verwandelt.

In Christus aber, Deinem Sohn, hast Du, o Vater, Dein Angesicht enthüllt und ein neues Werk begonnen. Er hat das Schicksal überwunden und uns im Geschehen Deine Vorsehung gezeigt.

Nun soll uns alles eine Fügung Deiner Liebe sein. Das ist uns als Trost gegeben, aber auch als Aufgabe gestellt. Die Botschaft ist keine Erlaubnis, die Dinge treiben zu lassen, oder die Augen vor ihrem Ernst zu verschließen, sondern eine Mahnung zum heiligen Tun. Dein Reich soll uns das Eine Notwendige sein. Darauf, daß Dein Reich komme, und seine Gerechtigkeit geschehe, soll unser erstes Trachten und Sorgen gehen. Dann aber dürfen wir von allem, auch dem Dunkelsten, wissen, daß es uns zum Heile gereicht. Was immer wir als Schicksal erfahren, sollen wir gläubig in das Bild Deiner Vorsehung heben, vertrauend die Fremdheit überwinden und liebend an Deinem Werke mitarbeiten.

Hilf mir, Herr, die Verworrenheit der Dinge durch die Klarheit des Glaubens zu lichten, und die Schwere alles dessen, was auf mir lastet, durch die Kraft des Vertrauens umzuwandeln.

Und Dein Heiliger Geist möge Zeugnis geben in meinem Herzen, daß ich wahrhaft Dein Kind und im Recht bin, wenn ich alles Geschehende von Deiner Hand entgegennehme. Laß in der Vergewisserung Deiner Liebe jene Fragen beantwortet werden, die keine Menschenweisheit beantworten kann. Daß ich von Dir geliebt bin, ist Antwort auf jede Frage – gib, daß ich sie empfinde, wenn die Stunde der Erprobung da ist.

Amen.

Die Freiheit

Als Du, o Gott, den Menschen schufst, hast Du ihm die Gabe der Freiheit gegeben. Was sonst lebt, ist gebunden in die Gesetze der Natur. Die Pflanze wächst, wie sie muß, und das Tier folgt der Notwendigkeit seines Wesens; dem Menschen aber hast Du das Geheimnis des inneren Anfangs gegeben. Er vermag aus sich selbst zu handeln; so gehört sein Tun ihm, und in seinem Tun gehört er sich selbst. In dieser Freiheit sollte er Dir dienen, aber er hat sie gebraucht, um sich wider Dich zu empören. Da ist sie verdorben, und er ist zum Knecht geworden.

Du aber hast ihn nicht sich selbst überlassen. Du hast Deinen Sohn in die Welt gesandt, und Er hat dem Menschen eine neue, höhere Freiheit verkündet. Jeden von uns ruft Er und streckt ihm Seine Hand entgegen, daß er Ihm glaube, Ihm vertraue, Ihm gehorche, und so die Knechtschaft überwinde.

Gib mir Deinen Heiligen Geist, daß ich die göttliche Freiheit ahne, in welcher Christus steht, und das Verlangen nach »der herrlichen Freiheit der Kinder Gottes« empfinde, die Er allein zu geben vermag. Ich bin in dieser Welt, und sie drängt und bindet mich; ich bin erfüllt von den Mächten meiner Natur, und sie beunruhigen und täuschen mich – der Geist aber möge mir die Zuversicht geben, daß ich zur ewigen Freiheit in Dir berufen bin.

Er möge mir helfen, in den Nöten und Forderungen jeder Stunde um sie zu ringen; in beständiger Anstrengung das Böse zu überwinden; rein und gut zu werden und Seiner Heiligkeit Raum zu schaffen. Und in aller Verkettung, aller Armseligkeit und scheinbaren Vergeblichkeit möge Er uns die unbeirrbare Hoffnung schenken auf jenen Tag, in welcher alle Fesseln fallen, und ich der Freiheit der Kinder Gottes teilhaftig werde.

Amen.

Einsicht und Bereitschaft zum Gebet

Jesus Christus, einst sind Deine Jünger zu Dir gekommen und haben verlangt: »Herr, lehre uns beten.« Du hast ihnen willfahrt und sie das Gebet gelehrt, dessen heilige Worte seitdem nie mehr auf den Lippen der Menschen verstummt sind und weiterhin aufsteigen werden bis an das Ende der Welt.
Diese Lehre hast Du einmal gegeben für Alle und für immer; von ihr wird nichts weggenommen, noch wird ihr etwas zugefügt. Aber sie nützt nichts, wenn Du sie nicht immer neu gibst, jedem von uns und zu jeder Stunde. So sprechen denn auch wir: »Herr, lehre uns beten.«
Lehre mich einsehen, daß ohne Gebet mein Inneres verkümmert, und mein Leben Halt und Kraft verliert. Nimm das Gerede von Erlebnis und Bedürfnis weg, hinter welchem sich Trägheit und Auflehnung verbirgt. Gib mir Ernst und festen Entschluß und hilf mir, durch Überwindung zu lernen, was zum Heil not tut. Führe mich aber auch in Deine heilige Gegenwart. Lehre mich zu Dir zu sprechen im Ernst der Wahrheit und in der Innigkeit der Liebe.
Bei Dir steht es, mir die innere Fülle des Gebetes zu gewähren, und ich bitte Dich, gib sie mir zur rechten Seit. Zuerst aber ist das Gebet Gehorsam und Dienst: Erleuchte mich, daß ich den Gehorsam verstehe und stärke mich, daß ich den Dienst in Treue tue.
Amen.

Der Dienst des Gebetes

Herr und Gott, Du bist der Lebendige, der alles durchwohnt und durchwaltet. Die Gestalten der Dinge sind Bilder Deiner Herrlichkeit, und was geschieht, redet von Deinem Handeln. Unsere Augen aber sind gehalten und sehen nicht, was durch die Erscheinung leuchtet; und unsere Ohren vernehmen die Stimme nicht, die von Dir spricht. Du bist der wahrhaft Wirkliche, überall gegenwärtig, und wo immer wir sind, sind wir vor Dir; unser Herz aber ist stumpf und empfindet nur selten Deine heilige Gegenwart.

So ist es oft mühsam, o Herr, im Gebet vor Dir zu sein. Allzu oft geht unser Blick ins Dunkel und findet keine Stätte, wo er ruhen kann. Allzu oft sprechen wir ins Stumme und vernehmen keine Antwort. Und wenn wir uns aus dem Gedränge der Dinge lösen und vor Dich treten wollen, stehen wir meist im Leeren. Dann kommt unser Tun uns sinnlos vor, und es treibt uns, wieder zu den vertrauten Gegenständen zurückzukehren.

Du aber, o Herr, lehrest uns, wir sollen diesen Empfindungen mißtrauen. Das Gebet darf nicht der Ausdruck unseres Bedürfens sein wollen, sondern der heilige Dienst, den wir Deiner Ehre schulden und der unserer Seele nottut.

So bitte ich Dich, lehre mich, diesen Dienst in Treue zu tun. Ich will bei Dir eintreten und ausharren, auch wenn ich meine, ich sei allein. Ich will zu Dir hinsprechen und glauben, daß mein Wort Dein Herz findet, auch wenn nichts zu antworten scheint. Ich will die Mühsal des Gebetes tragen, solange es Dir gefällt – aber laß sie nicht zu lange währen. Laß mich erfahren, daß ich bei Dir bin. Die Offenbarung spricht von Deinem Angesicht, das über uns leuchtet; zeige es mir, o Herr, dieses heilige Angesicht, damit ich wisse, zu wem ich rede. Ich glaube, daß Du mich liebst: laß mich Deines Herzens inne werden.

Amen.

Das Gericht

Herr, ich weiß um das Unrecht des Daseins. Immerfort widerstrebe ich der Wahrheit. Immer neu wird mein Herz des Bösen überführt. So verstehe ich die Botschaft vom Gericht und nehme sie an und beuge mich unter sie.

Das Gericht muß sein, auf daß Gerechtigkeit werde. Das bekenne ich wider mich selbst, denn ich weiß, daß ich in ihm nicht bestehen kann; aber es soll sein, damit Dein Reich, welches Gerechtigkeit ist, komme, und Du »die Lobpreisung und die Ehre und die Macht« empfangest.

Ja, ich verlange nach Deinem Gericht. Es wird nicht über Andere ergehen, sondern über mich selbst; dennoch verlange ich nach ihm, weil ich nach der Wahrheit und Gerechtigkeit verlange. Der das Gericht vollziehen wird, bist Du, Herr Jesus Christus. Du wirst soviel Macht haben, als Du wahr, und so groß sein, als Du heilig bist; furchtbar für die in der Unwahrheit und im Unrecht stehende Welt. Aber Du wirst nicht als Rächer und Zerstörer, sondern als Heiland kommen; so wird das Gericht die letzte der Gottestaten sein und die Erlösung vollenden.

Du, der alles weiß, weißt auch um mein Unvermögen. Du, der alles vermag, bist der Herr der Gnade. So gebe ich mich in Dein Urteil. Es wird die Wahrheit vollziehen, diese aber wird nach dem Worte Deines Apostels Liebe sein.

Amen.

Die gute Ewigkeit

In unserem dahingehenden Leben, o Herr, ahnen wir Deine stille Ewigkeit. Die Dinge beginnen, und haben ihre Zeit, und enden. Im Anfang des Tages fühlen wir voraus, wie er im Abend sinken wird. In jedem Glück mahnt schon das kommende Leid. Wir bauen unser Haus und schaffen unser Werk und wissen, daß es zerfallen muß. Du aber, o Herr, lebst, und keine Vergänglichkeit rührt an Dich.

Du bist Deines heiligen Daseins froh und weder Not noch Ende bedrängen Dich. Du bist von Wesen neu und weißt von keinem Überdruß.

Keines Dinges bedarfst Du. Nichts entbehrst Du. Alles bist Du. Aller Herrlichkeit Inbegriff ist Dein.

Deiner Ewigkeit Mitte ist dort, wo Du, o Vater und Du, o Sohn, einander nahe seid in der Innigkeit des Heiligen Geistes. In jener Stille ist Deine Liebe und Dein Friede. In ihr ist Deine Heimat, o seliger Gott.

Von dort bist Du, Jesus Christus, zu uns gekommen und hast uns Kunde gebracht von dem, »was kein Auge gesehen hat, und kein Ohr vernommen, und was in keines Menschen Herz gedrungen ist«. Wenn die Zeit vollendet ist, soll dort auch meine Heimat sein. Mache mich dessen gewiß. Laß das Verlangen dorthin in meinem Herzen nie sterben, damit ich im Wandel des Lebens dessen inne bleibe, was allem Leben erst Maß und Sinn gibt.

Laß mein Gemüt vom Hauch Deiner Ewigkeit berührt sein, damit ich das Werk der Zeit richtig tue und es einst hinübertragen dürfe in Dein ewiges Reich.

Amen.

Gebet in der währenden Stunde

Lebendiger Gott,
wir glauben an Dich.
Lehr uns die Stunde verstehen, in der es ist, als habest Du uns verlassen,
Du, dessen Treue die Ewigkeit ist,
als seiest Du nicht Du, der uns seinen Namen genannt:
Der da ist.
Lebendiger Gott, wir glauben an Dich.
Gib uns Stärke auszuharren, wenn alles wesenlos wird.

Allmächtiger Vater,
der Du lebst,
Herr, in Dir selbst, keines Dinges bedürfend.
Ewig frei hast Du die Welt erschaffen, denn ihrer bedarfst Du nicht.
Sie ist, weil Du willst, daß sie sei, Deiner Gedanken voll.
Den Ratschluß, dem sie entsprungen, weiß kein irdischer Sinn.
Aber der Offenbarer, der Sohn, hat uns das Wort gegeben, das Liebe heißt.
Deine, o Vater, keines irdischen Herzens Liebe.
Wir glauben an Dich,
denn was uns Welt heißt, ist Dein Werk.
Du hast es erdacht,
Du hast gewollt, daß es sei, und Dauer hat es und Glanz durch Dich allein.
Alles lenkest Du, auch unser kleines Leben.
Lenkst es in Deines lautlosen Waltens Geheimnis.
Auf Deine Liebe müssen wir trauen allein.
Doch Deine Großmut will unsrer bedürfen.
Du hast Deine Welt in unsre Hand gegeben,
willst, wir sollen Deine Gedanken denken,
in Deinen Ordnungen wirken.

Christus Jesus,
Erlöser der Welt,
heimgegangen zum Vater, da alles vollendet war.
Du sitzest zu Seiner Rechten auf dem Throne der Herrlichkeit,

wartend der Stunde, in welcher Du wiederkehrest in Macht,
die Lebenden und die Toten zu richten.
Wir glauben an Dich.
Lehr uns, den einsamen Glauben zu leisten, den die Stunde von
 uns verlangt,
da Dein Licht nicht zu leuchten scheint, und leuchtet doch,
 mächtiger im Dunkel als je.
In Deiner Liebe Geheimnis, in Deinem Gehorsam,
groß wie des Vaters Gebot,
 hast Du alles erlöst.
Laß Deine Liebe an uns nicht vergeblich sein.

Heiliger Geist,
zu uns gesendet,
weilend bei uns, wenn auch leer die Räume hallen, als seiest
 Du fern.
In Deine Hand sind die Zeiten gegeben.
Im Geheimnis des Schweigens waltest Du,
und wirst alles vollenden.
Also glauben und warten wir auf die kommende Welt.
Lehr uns warten in Hoffnung.
An der kommenden Welt gib uns Teil,
daß wahr an uns werde die Verheißung der Herrlichkeit.

Nachwort

»Halte mein Herz wach ...«

Ein Blick auf Romano Guardinis »Theologische Gebete« und deren gedankliche Voraussetzungen

Von Professor Dr. Peter Reifenberg, Mainz

1. Die Not des Gebets ist eine Not Gottes

Nicht selten wird die Not des Gebetes als eine Not Gottes verstanden. Man sagt, für den Lebensalltag stelle sich das Beten heute sehr schwer dar, weil eine gewisse Ratlosigkeit in postsäkularen Zeiten eine alles umfassenden Gleichgültigkeit nach sich zieht, die das Wertbezogene und Wahrheitssuchende hinter dem Pragma einer niederschwellig gewordenen Glückssuche überschattet.

Doch: Haben nicht alle Epochen und Zeiten solches empfunden? Empfinden die Menschen eine Gottesnot, weil sie sich selbst als Problem erfahren und Gott gar keinen Raum mehr gewähren?

Und doch blitzt immer wieder die Frage nach Sinn und Vollendung auf, nach tiefen Glücks- und Sinnerfahrungen, wenn der zerrissene Mensch heute, vorab in Krisenzeiten, Glück und Sinn, ja Gott mit aufrechtem Herzen – wenn auch oft verdeckt oder anonym – suchen möchte. Gestern wie heute tun Mystagogen not, die zunächst auf einfache Weise die innere Notwendigkeit des Gottsuchens so erläutern können, dass das Suchen als Notwendigkeit erlebt werden kann und das Finden im Alltag wieder möglich wird.

Nicht selten ist die Suche nach gültigen Gebetstexten ebenso schwierig wie das Beten selbst. Mystagogen und Theologen sollten daher stets an den heute nicht immer eindeutigen »Kirchorten« behutsam in den Gebetsraum einführen, gute Hilfe leisten, die weit über pädagogisches Geschick hinauszugehen scheint. Die Hingabe an Gott, an Christus, den Herrn, geschieht nur in leisen Tönen[1]. Doch zunächst ist das Kontakt-Finden und Kontakt-Nehmen mit dem personalen Gott im Vorraum des Gebets, als Suchbewegung des Lebens, im Alltag zu verwirklichen.

Können wir Heutige das Wort Gottes überhaupt noch hören? Können wir rein aus uns heraus, aus unseren Nöten und Schwierigkeiten des Alltags heraus ohne Bildner gebildet werden? Brauchen wir nicht vielmehr glaubwürdige Zeugen, die bilden und gültige Inhalte anbieten? Haben wir etwa das Hören auf das Wort verloren?

Die Not des Gebets treibt die Not des modernen, postsäkularen und postmodernen, aber suchenden Menschen, der die Gottverlassenheit auch deshalb erfährt, weil die Diversifizierung des Alltags, die Flut von Informationen und Daten nur schwerlich auf das Einfache zurückzuführen sind. Wie also einsteigen in eine gesunde Spiritualität, die den Verstand und das Denken nicht leugnet, die Herz und Vernunft zusammendenken kann, sie wertschätzt und veredelt und damit dem Menschen hilft, er selbst zu werden, das Geheimnis des Daseins zu ergründen, zu erfahren, dass der Mensch das »Liebesziel Gottes« ist und damit seine Wirklichkeit in besonderer Weise erfüllt? Das spirituelle Leben, das fromme Gottsuchen ist stets eine Bewegung und ein Tun, das sich nicht im blinden Aktionismus ausdrückt, sondern empfängt und glaubt, dass Gott liebend unterwegs zum Menschen ist[2].

Wie kann der Mensch heute zum ruhigen Denken, ja zum Beten finden, um ein geistig-geistliches Leben zu verwirklichen, um offen zu sein für das Wort und das unergründliche Geheimnis des Daseins, das nicht allein aus ihm selbst zu finden ist, sondern durch den Akt der Selbstannahme aus einer transzendenten, ihn behütenden Macht erfolgt? »Ich kann nicht erklären, wie ichselbst bin; ich kann nicht verstehen, warum ich so oder so sein muss; [...] ich kann mich selbst nicht erklären [...] Ich kann es nur von etwas Höherem her – und damit sind wir beim Glauben.

Glauben heißt hier, dass ich meine Endlichkeit aus der höchsten Instanz, aus dem Willen Gottes heraus verstehe«[3].

Diese Einsicht rührt nicht aus einer Angst heraus, sondern aus der Glaubenszuversicht und stellt die Möglichkeit ausgeglichenen Lebens unter aller Fragwürdigkeit dar. Glück, Sinn und Erlösung können nicht gemacht oder hergestellt, sie können nicht durch das Selbst bewirkt werden, sondern sind angewiesen auf das Gegeben-Sein und auf den Geber selbst. So stellt sich die

Offenbarung, das Wort, auf das wieder zu hören gelernt werden sollte, nicht als abstrakte Lehre, die Tradition nicht als eingebolztes oder rückwärts gewandtes Depositum dar, sondern als lebendiges Geschehen von Bewegtheit und ständiger Bewegung.

2. Gültige Mystagogen: Rahner und Guardini

Wir suchen nach Helfern, nach gültigen Mystagogen und finden sie in diesem reichen Lebensstrom der Tradition unserer Kirche, die aufgedeckt, gelesen und gehört werden sollte. Eine der besten Hilfen bietet immer wieder Karl Rahner, der kurz nach dem Zweiten Weltkrieg mit »Von der Not und dem Segen des Gebetes« ein Büchlein herausbrachte, das heute noch die Herzen öffnet, das aus den Fastenpredigten in St. Michael, München, 1946 hervorging, das, wie Rahner selbst im Vorwort sagt, die Spuren des Ursprungs noch zeitigt: »ohne, dass die Absicht bestand, diese Herkunft zu verbergen«. Er spricht vom Gebet in seiner eigenen eindringlichen, die Existenz berührenden Sprache, die auch heute noch erschüttert und zum Geheimnis hinführt. Er spricht über die Öffnung des Herzens, über den Helfer-Geist, über die Liebe, über das Alltagsgebet, die Not des Gebets, über Weihegebete, über Schuld und über die Gebete der Entscheidung[4]. Rahner schrieb in die Not der Zeit hinein, nach Hungerjahren in München, und machte – so Andreas Batlogg – damit einen anderen Hunger zum Thema: »Hunger nach Orientierung und nach Werten, die zuvor mit Füßen getreten worden waren«[5]. Die nicht weniger erschütternden »Worte ins Schweigen«, erste selbständige Buchveröffentlichung Rahners, erschien bereits 1938 und wurde zu einem der größten Erfolge Rahners. Dass dieses Genre nicht zu unterschätzen ist, betonen besonders Albert Raffelt und Hansjürgen Verweyen, die darauf hinweisen, dass in zehn Meditation der »Worte ins Schweigen« ein Stück »Theologie« eingeborgen ist. Dieser Text »entspringt einer tiefen Gotteserfahrung, gegen die philosophischen Einwände nicht mehr aufzukommen vermögen.« (vgl. SW 7, XXI)[6]

Der Hinweis auf die etwa zeitgleich zu Romano Guardini erschienenen Gebetstexte Rahners scheint mir wichtig, selbst wenn Rahner sehr viel stärker von der existentiellen Not des Menschen ausgeht als Guardini, der – und dies zeigt den Reichtum dieser Zeit in größter Not – sehr viel »überzeitlicher« »das Verhältnis zwischen Gott und Mensch« zum Ausdruck bringt, auch wenn er mitten im Vernichtungskrieg 1943 die erste Auflage seiner »Vorschule des Betens« bei Benziger in Zürich erscheinen lässt[7]. In seiner »Vorschule« möchte Guardini die »einfachen Dinge« bewusst machen, die das Gebet vorbereiten und helfen mögen, es überhaupt in Sinn und Form wieder als Erlebnis erfahrbar werden zu lassen. Dieses Buch beschreibt einen Raum, der *vor* jeder Gebets- und Gotteserfahrung liegen soll. Guardini weiß darum, dass das echte Gebet sich nicht befehlen lässt, sondern, dass das »Erlebnis des Schicksals sich wie eine dunkle Wand vor Gott stellen« kann (vgl. Vorschule, 13).[8] »Das Gefühl der heiligen Nähe kann so vollkommen verschwinden, daß dem Menschen ist, als habe er sie nie empfunden. Die Freude kann machen, daß er überhaupt nicht an Gott denkt, und die Not kann ihm das Innere ganz verschließen. Worte, wie das, wonach »Not beten lehrt«, sind nur halb wahr; ebenso wahr ist, daß man in der Not das Gebet verlernt.« (Vorschule, 14) Offenbar wehrt sich Guardini gegen das reine »Not-Beten« deshalb, weil es auch im Alltag den ganz ritualisierten und selbstverständlichen Zugang zu Gott verschließen kann.

Doch wie lernen wir heute wieder beten?

Das Anliegen unseres Beitrags bleibt bescheiden; wir nehmen uns Guardini zum gültigen Vorbild. Wenn wir vom Geist der »Vorschule des Betens« bei Guardini ausgehen, wenden wir uns danach den »Theologischen Gebeten« zu, deren Vorwort aus dem Kriegsjahr 1944 stammt und die erstmals bei Knecht, der Carolus-Druckerei, Frankfurt 1948, erschienen[9]. Wir behaupten, dass dieses Büchlein an Gültigkeit bis heute nichts verloren hat, auch, da die »Theologischen Gebete« keinen direkten Zeitbezug aufnehmen, sondern überzeitlich das Gott-Mensch-Verhältnis in einer besonderen Tiefe aussprechen. Dennoch hatten die Gebete einen realen Sitz im Leben des Pädagogen und Mystagogen Romano Guardini. Sie sind – so die wichtige Vorbemerkung – in der Kirche gebetet worden und dies am Schluss religiöser Abendvorträge, »in denen eine sorgfältige theologische Arbeit zu leisten war« (G, Vorbemerkung). Sie bildeten nicht

einfachhin »nur einen lose angefügten geistlichen Ausklang«, »sondern Vortragender und Zuhörer sollten sich in ihnen aus den Einsichten« des Gehörten im theologischen Vortrag direkt »betend an Gott wenden« (G, Vorbemerkung).
Guardini vertritt bereits in der wichtigen Vorbemerkung ein Selbst- und Bildungsverständnis, dass aus dem theoretisch Gehörten und Vertieften direkt die Praxis lebendigen Christseins zu erfolgen hat. Der Referent wird mit den Hörern eins im Gebet. Hörer und Mystagoge bilden eine Gebetsgemeinschaft vor Gott; das theoretisch im Vortrag Gehörte bleibt nicht in der Abstraktion, sondern wird im Gebet praktisch und lebendig und damit in den weiten Begegnungsraum zwischen Gott und Mensch hingeführt. Guardini führt die Gebete über den besonderen Anlass hinaus in eine Gültigkeit hinein, die bleibt und einen Lernprozess im Gebet freisetzt, um darauf aufmerksam zu machen, »daß nicht nur das Herz, sondern der Geist beten soll« (G, Vorbemerkung). »Die Erkenntnis selbst soll in Gebet übergehen, indem die Wahrheit zur Liebe wird« (G, Vorbemerkung). Bemerkenswert, dass er in der kurzen Vorbemerkung eine Fülle theologischer Grundgedanken äußert, die sein gesamtes Denken durchwirken.
Klingt es wie eine Tautologie, wenn Guardini fordert, dass der Geist spirituell werden soll, dass der betende Geist sich von Gott abhängig wissen sollte, dass die autonome Vernunft, die wir in der Alltagsorientierung brauchen, die vorgängige Erkenntnis akzeptiert, dass nur das Gebet selbst, also der Anruf auf einen Ruf Wahres und Lebendiges zeigt, dass das Gebet nicht Selbstzweck, sondern Dialog mit Gott ist?
Guardini kommt fraglos aus der Tradition augustinisch-franziskanischen Denkens heraus, welches das Apriori des Glaubens, des Liebens vor alle Erkenntnis setzt, das gleich der »Pensées« Pascals eine reiche »Theologia Cordis« entfaltet, in der das Herz und der Geist aufeinander verwiesen und schließlich eins sind, in der die »Heiligkeit der Vernunft« (Blondel) die Praxis des Gebets voraussetzt[10]. Erkenntnis wird also selbst zum Gebet, wenn in ihr das Wahre liebend wird. Die Apriorität des Glaubens erst führt zu einer liebenden Erkenntnis. Diese Gedanken werden umso erstaunlicher erfahren, wenn man bedenkt, dass Guardini sie zu einer Zeit schreibt, in der Europa schon in realen geistig-

geistlichen Trümmern lag, aus denen heraus Guardini eine »Vorschule des Gebets« für notwendig hielt. Umso kostbarer wird dann auch das spätere kleine Büchlein der »Theologischen Gebete« und die aus ihr erwachsene Notwendigkeit des Bittvollzugs heute: Guardini orientiert sich ganz und gar an der Person Jesu Christi, des *Herrn,* wenn er schreibt: »Die Person des Herrn ist ganz in Gebet getaucht« (Vorschule, 7). »Beten ist innere Notwendigkeit, Gnade und Erfüllung – Beten ist aber auch Pflicht, Mühe und Überwindung. So gibt es das Erlebnis, aber auch die Übung des Gebetes; seine Quelle, aber auch seine Schule.« (Vorschule, Vorwort, 7) Grund und Ziel allen Betens ist, dass Christus in uns die Hoffnung und Herrlichkeit (Kol 1,26.27) ausmacht, wenn eingesehen wird, dass das Geheimnis des Daseins sich im Auf-uns-Zukommen Gottes verbirgt, die Einsicht, dass der Mensch die Antwort auf sein Wesen findet, indem er im Gebet zur Einsicht gelangt, dass er das »Liebesziel Gottes« ist[11], dass er einsieht, dass Christus in mir ist, ich in Christus bin, und dass sich hier die lebendigste Weltwirklichkeit offenbart und eigentliche Freiheit ermöglichen hilft. Denn dies ist zentraler Inhalt des Glaubens: »Mein Christ-sein ist ein Geheimnis, das ich selbst nur im Glauben auffassen kann. Glauben ist Beginn. Tat, die neues Dasein anfängt, und Bewusstsein vom Anfang dieses Daseins zugleich. In dem Maße aber der Glaube wächst und reift, gewinnt er Erfahrung und wird sehend« (Wille und Wahrheit, 152).

3. Zum Inhalt der »Theologischen Gebete« allgemein

Ein flüchtiger Blick auf das Inhaltsverzeichnis des kleinen, knapp 53 Seiten umfassenden kostbaren Büchleins mit dem schlichten Titel: »Theologische Gebete« zeigt, wie geschickt Guardini – von der religiösen Erfahrung und dem Glaubensleben des Menschen seiner Zeit ausgehend – die Heilsgeheimnisse durchdekliniert: Schöpfung, Kreatürlichkeit und Gnadenhaftigkeit, Gott und Mensch – und dabei das Verhältnis Gottes zum

Menschen – stets vertikal gedacht und doch in enger Partnerschaft lebend – Schuld und Sünde gegenüber Gottes Heiligkeit und Größe, die Erkenntnis Christi durch den Menschen, das Verhältnis zwischen Vater und Sohn, und dann ganz im Mittelpunkt des Heilsgeschehens die Erlösung, deutlich hervorgehoben durch gleich drei Gebete in drei Schritten, dann erst der Mensch Jesus und sein demütiges Wesen. Es folgen Überlegungen zum Heiligen Geist und sein Kommen, dann das Gebet aufgerichtet zum Dreieinigen Gott, beginnend in Jesus Christus, aus dem erkennbar Vater und Sohn sich im Schöpferischen des Geistes vereinen. Es folgt das Gebet zur »Vorsehung Gottes« und zur Freiheit des Menschen, dann am Ende eine Reflexion zur Einsicht und Bereitschaft zum »Gebet« sowie dessen Dienstcharakter im Blick auf das Eschaton: Gericht und die gute Ewigkeit.

Im Unterschied zu Rahners Büchlein von der »Not und dem Segen des Gebets« und dessen 1947 erstmals erschienenen »Worte ins Schweigen«, welche einen transzendental-anthropologischen Ansatz wählen, die heilsgeschichtlichen Geheimnisse nicht auf den ersten Blick erkennbar als solche durchdeklinieren, fasst Guardini direkt seine »Theologischen Gebete« allesamt äußerst knapp, vertikal denkend auf die Heilsereignisse bezogen, im kleinen Format, maximal eine anderthalbe Seite umfassend, wobei sich die Überschrift oftmals erst beim zweiten Lesen in ihrer Bedeutungsfülle erschließt (vgl. etwa das Gebet »Leben aus dem Glauben«).

Guardini führt einen intimen Dialog mit Gott. Er ist es, der zuallererst das Wort der Offenbarung zum Beter spricht und ihn anruft. Das Beten bleibt dialogisch und die Gebete sagen je etwas über die Partnerschaft »zwischen Gott und Mensch« aus. Philosophisch liegt der dialogische Ansatz Martin Bubers zugrunde; gleichursprünglich dachte Guardini wie Martin Buber, Franz Rosenzweig und Ernst Michel im Kreis der Rhein-Mainischen Volkszeitung streng dialogisch: »Gott hat aber den Menschen nicht in der Weise erschaffen, wie Er es mit den Himmelskörpern getan hat, nämlich als Objekt; sondern so, daß Er ihn zu seinem Du gesetzt und ihn angerufen hat«[12]. Guardini denkt stets in der Logik der Heilsgeschichte, gerade auch in den geistlichen Übungen[13]: Schöpfung, Sünde, Menschwerdung und Erlösung, deshalb Glaube und Umkehr des Menschen und der Weg zur Vollendung und damit die Bestätigung seiner Bestimmung. Jedes einzelne Gebet der »Theologischen Gebete« eröffnet explikativ die Selbstoffenbarung Gottes und komplikativ den Kosmos der Heilsgeheimnisse, wobei – ähnlich wie bei Rahner – die Gebete ein Kondensat seiner Theologie darstellen. Anhand der »Theologischen Gebete« lässt sich nicht nur Leben, sondern auch Theologie lernen. Hier verdichten sich die Einzelmotive seines Denkens in einer unüberbietbaren Weise; die Gebete sind angereichert durch Kurzzitate aus der Schrift und aus der Liturgie (G, 28: »Er ist ›das Licht der Welt‹, aber auch ›das Zeichen, dem widersprochen wird‹«. G, 30: »›Niemand, Vater, hat Dich je gesehen; nur der einzigeingeborene Sohn, der an Deinem Herzen war, hat uns Kunde gebracht.‹ Er war Deine lebendige Offenbarung und ›wer ihn sah, sah Dich.‹«).

4. Inhalt und Aufbau der Gebete

Sucht man den inneren Aufbau und den Inhalt der Gebete näherhin zu charakterisieren, so bietet sich dies am Beispiel der Erlösung an. Guardini gebraucht unprosaisch und recht sachlich die Überschrift: »Das Verständnis der Erlösung I–III«. Der Aufbau ist im Grunde bei den Gebeten immer der gleiche.

4.1 Das Exempel: Die Erlösung

Zum Verständnis der Erlösung I
Zunächst birgt sich im Gebetsanruf die zu entwickelnde theologische These ein, die hernach im Textkorpus einer sorgfältigen und wohlausgewogenen theologischen Entfaltung unterzogen wird. Im ersten Erlösungsgebet wird Gott angesprochen mit *»Herr«*, der durch seinen Sohn die Botschaft der Erlösung verkündet[14]. Guardini denkt stets im Schema von Chalcedon. Er lehnt mit der Explikation eine Überbetonung der eigenen, subjektiven persönlichen Erfahrung, auch der subjektiven Lebensnöte ab und überlässt ganz entsprechend seines theologischen

Denkens die Aktion der Erlösung Gottes freiem und heiligem Ratschluss selbst. Gegenüber dem Neuanfang des Heiligungsprozesses jedes Christen muss das menschliche Herz auf Gottes liebend-erlösenden Neuanfang demütig warten. Der erste Schritt ist immer der liebende Schritt Gottes, dem entgegengegangen werden muss. Denn, was Erlösung heißt, liegt nicht im Benehmen des Menschen. In der Erlösung verbirgt sich das Angesicht Gottes, der Mensch wartet und harrt im Glauben, dass ihm die Augen aufgehen mögen und er Gott in seinem Handeln und Wesen verstehen lernt. Subjektivismen und eine reine Existenzialpragmatik sind nicht Sache Guardinis. Jeder Versuch einer Selbsterlösung wird im Vorfeld abgelehnt. Zunächst heißt es: Gott allein handelt, weil der Mensch Gottes Wahrheit nicht durch sich selbst erreichen kann. Auch nicht der Weg einer blinden Hingabe an das Geheimnis führt zu Gottes Angesicht, sondern die Akzeptanz und das Eintreten in einen nach der Schöpfung sich ereignenden zweiten Neuanfang durch den persönlichen Glauben.

Das Ergebnis der Überlegungen erweist sich positiv, indem der Christ diesen erlösenden Neuanfang in Christus in seinem Glauben einschließt. In der Person des Sohnes, vermittelt durch die Offenbarung, zeigt sich der verborgene Gott selbst. Das Erlösungswerk Gottes offenbart sich in Jesus Christus und erregt zugleich Ärgernis wie Widerspruch bei denen, die die Botschaft nicht annehmen, reicht doch das Erlösungswerk selbst über jede menschliche Sinngebung hinaus. Gott und Jesus Christus sind eins, stets auch in der Darstellung Guardinis. Gott in Jesus Christus hat das Schicksal der Menschheit in sein *Herz* eingeschlossen. Das erste Erlösungsgebet schließt mit der zusammenfassenden Bitte, Gott möge den Menschen sein Angesicht zeigen, um dadurch seine Liebe verstehen zu lernen, und damit wird das ganze Gebet noch einmal in seiner Hauptthese zusammengefasst.

Zum Verständnis der Erlösung II

Das zweite Gebet im »Verständnis der Erlösung« gestaltet sich wesentlich kürzer. Der Eingangslobpreis entfaltet auch hier die These in Form einer thetischen Gebetsbitte, die Liebe Gottes ahnend verstehen zu lernen. Hernach wird erläutert, dass sich

Bilder und Metaphern der Offenbarung als Wegweiser und Wegbereiter zum Geheimnis begrenzt eignen. Denn das Ziel der Erlösung ist es, die Welt in die Wahrheit Gottes »zurückzuwenden«. Es wird in gleichem Atemzug auf die Gefahr dieser Bilder hingewiesen, die auch den Menschen zu »Irrgestalten« werden können, so dass sich »unser Herz in ihren Netzen und Fallen verfangen kann«. Deshalb die Gebetsbitte nach Klarheit in der Erkenntnis des Sinns der Offenbarung, und diese Klarheit wird selbst Teil der Erlösung. Erlösung ist nicht niederschwellig als bloße Befreiung zu verstehen. Zum Schluss erfolgt die häufig in den Gebeten geäußerte Bitte um die Belehrung durch Gott, die heilige, nach Erlösung verlangende Ungenügsamkeit des Menschen zu akzeptieren, da das Erlösungsgeschehen jedes menschliche Vermögen und jede menschliche Sinngebung übersteigt.

Das Verständnis der Erlösung III

Die Explikation des Thesenkorpus erstreckt sich im dritten Gebet »Zum Verständnis der Erlösung« über den ersten Absatz hin: Jetzt wird Jesus Christus im vertrauten Du direkt angesprochen. Er hat das Erlösungswerk des Vaters gehorsam auf sich genommen und damit die Umsetzung der Liebe des Vaters in die menschliche Wirklichkeit hinein verwirklicht. Das Heilswerk wird in Du-Sätzen entfaltet. Christus selbst ist der personifizierte Neuanfang, denn er hat den Menschen in sein Herz ganz aufgenommen. Auch an dieser Stelle entfaltet Guardini sein Verständnis der Herz-Jesu-Frömmigkeit und eine gute Kultur der Innerlichkeit.

Jetzt erfolgt die Reaktion des betenden Ich: Ohne Gottes Dazwischenkunft und ohne Erleuchtung bleibt alles Erwägen erfolglos. Deshalb erfolgt die Gebetsbitte um Zuwendung und um die Möglichkeit, Gottes Wesen zu erkennen. Das eigene Herz will das Heilige fühlen lernen und damit Gottes Antlitz sehen. Es folgt das Bekenntnis aus dem Johannesevangelium: »Du bist der Weg, die Wahrheit und das Leben« (Joh 14,6), und damit wird Christus als der Neuanfang der neuen Schöpfung bekannt.

Das Gebet schließt mit der Bitte um Akzeptanz im Bewusstsein der Glaubensnot und der Kontingenz des Menschen, der dieses Gnadengeschenk nicht in seiner Sinnfülle annimmt. Deshalb wird stets um die Möglichkeit des Vollzugs der Umkehr im Alltag gebetet.

4.2 Die theologischen Hauptmotive

Die theologischen Motive Guardinis werden bereits in diesem Dreischritt zum Verständnis der Erlösung offenbar: Gott ist die Wahrheit, aus der wir leben (G, 17.18). Der Mensch hat sich in die Wahrheitssuche, die eine Gnade darstellt, in seinem Alltag einzufinden (G, 16). Deshalb ist auch unser Herz unruhig, bis es in Gottes Wahrheit Ruhe findet (G, 18). Gottes Macht ist Wahrheit (G, 26).

Das gesamte Büchlein ist durchdrungen von den Hauptmotiven des theologischen Denkens Guardinis, das sich hauptsächlich aus dem Denken Augustins, Bonaventuras und Pascals speist: Dabei spielt die Wahrheit Gottes und des Menschen Sehnsucht nach der Wahrheit (G, 26), Gottes Antlitz zu sehen und damit Gott zu erkennen, eine entscheidende Rolle. Gottes Geheimnis hütet seine Wahrheit (G, 42), und in Christus ist diese Wahrheit, die ohne Liebe tot wäre (G, 40), eingeborgen (G, 30.33). Mit Christus ist die Wahrheit Gottes in die Offenheit getreten (G, 33) und das Angesicht Gottes sichtbar geworden (G, 33.50). Mit Christus ist der Neuanfang der zweiten Schöpfung Wirklichkeit geworden (G, 29.32), das Geheimnis Gottes in Christus sichtbar. Denn in Christus hat Gott sein Du offenbart (G, 41). Der Geist der Wahrheit Gottes, der sich im Pfingstfest manifestiert, führt den Menschen auf den Weg zum Heil (G, 39), durch das Dunkel des Alltags und die Verworrenheit der Zeiten (G, 39). Der Heilige Geist ist der Geist Jesu Christi, der die Wahrheit Gottes selbstlos und schöpferisch dem Menschen offenbart (G, 41). Dies in der Glaubenstreue anzunehmen, ist die Aufgabe des Menschen, der ohne diese Wahrheit nicht existieren kann (G, 40).

Gottes Wahrheitswille hat den Menschen in die Freiheit gerufen (G, 43) und damit die Handlungsverantwortung dem Menschen übertragen (G, 10.14.18). Dieses Schöpfungsgeschenk vermittelt die höhere göttliche Freiheit (G, 45). In dieser ist die Freiheit der Kinder Gottes begründet, die der Geist Gottes (G, 41) ausströmt. Darum bittet der Betende immerfort, dass der Herr der Wahrheit ihn in die Liebe führen möge (G, 40.41.47). Guardini ringt selbst mit der Schöpfungsgabe der Freiheit, die den Menschen von dem Naturgesetzlichen entbindet. Das selbstbestimmte freiheitliche Handeln sei ein Geheimnis des inneren Anfangs. Die Freiheit findet nicht im Sinne Kants als Ausdruck der Autonomie des Menschen statt, denn Autonomie ist keine Vokabel Guardinis.[15] Alles ist von Gott, durch ihn, und kehrt wieder in seinen Bestimmungsbereich zurück. In seinem Tun gehört der Mensch sich selbst, wie Guardini im Gebet die Freiheit angibt (G, 51, vgl. das Gebet »Die Freiheit«). Der Mensch steht hier doch zugleich in der Gefahr, anstatt Gott demütig zu dienen, worin der eigentliche Wert der Freiheit hinzielt, sich durch die Sünde gegen Gott »zu empören« und damit in die Knechtschaft zu geraten. Selbst dann lässt der Mensch sein Geschöpf nicht allein, sondern führt ihn durch die Erlösung seines Sohnes in die höhere Freiheit der Kinder Gottes. Immer wieder zeigt Guardini die Grenzen der Freiheit und die Armseligkeit des Menschen gegenüber der unbegrenzten Barmherzigkeit Gottes auf. Die autonom verstandene Freiheit setzt den Menschen frei, hält ihn bindungslos Gott gegenüber und führt somit ins Nichts. Aus der Innigkeit der Liebe Gottes entsteht das Sprechen im Ernst der Wahrheit, um die es im Lernprozess zwischen Gott und dem Menschen geht. Es ist immer wieder die Bitte an Gott, den Lehrer, die der lernende Mensch im Gebet ausspricht (»lehre mich …«). Gottes Geist ist Heiland und Lehrer. Das Geheimnis Gottes zu erschauen, übersteigt jede Sinnfülle des Lebens (G, 41), denn der letzte Sinn des Daseins birgt sich in der Begegnung mit dem Antlitz Gottes: Gottes Sein ist sein heiliger Sinn (G, 26. 28). Ihn zu erkennen, ist auch Ziel in der Todesstunde eines jeden Menschen (G, 17). Die ganze Schöpfung ist vom Geheimnis Gottes erfüllt, was der Mensch nur dann erfährt, wenn Gott das Herz des Menschen diesem Geheimnis gegenüber öffnet, ihn vor Verwirrungen und Verführungen behütet, sein Gewissen sicher werden lässt, um das Gute zu erkennen, und den Geist des Menschen erleuchtet, auf dass er im Geist der Unterscheidung handeln kann (G, 7).

4.3 Das Gebet »Jesu Demut«

Eine beeindruckende Kurzexegese und Rezitation des Philipperhymnus (Phil 2,5–11) entfaltet das Gebet »Jesu Demut«. Guardini bestätigt noch einmal das Werk der Erlösung, indem er bekennt, dass nun Christus den Betenden in seine Erlösung aufgenommen hat. Mit sehr eindrücklichen Worten, mit kleinsten Kommentaren beschreibt er den Philipperhymnus. Jesu Abstieg kennzeichnet seine Demut, indem Jesus dem Menschen auch in die Gottesferne nachgegangen ist. Das Erlösungswerk des Ab- und Aufstiegs wird zum Bekenntnis und der Inkorporation des Betenden in das Heilsgeschehen glaubend bekannt. Zugleich bittet der Beter darum, dieses Heilsgeschehen immer zu erkennen und nicht in der Sünde und dem »Trug des Hochmuts« zu verfallen. Wiederum die Bitte darum, dass Gott den Betenden lehrt und ihn lernt, gerechte Selbsterkenntnis zu verbinden mit der Erkenntnis Gottes selbst. Dann wieder – ganzheitlich sinnesgewandt – die Bitte um Berührung des Herzens, »daß es empfinde, was Du getan hast« (G, 37).
Das Gebet »Jesu Demut« findet einen hinreißenden Bezugstext im 1937 erschienenen Hauptwerk Guardinis, »Der Herr. Betrachtungen über die Person und das Leben Jesu Christi«. Und zwar befindet sich im fünften Teil des Buchs, überschrieben mit »Die letzten Tage«, der kleine Text »Gottes Demut« (Herr, 435–444). Guardini legt unter den zentralen Kategorien Liebe und Demut unausgesprochen den Philipperhymnus aus, bis er gegen Ende des kleinen Textes (vgl. Herr, 442) Paulus selbst zu Wort kommen lässt und das Geheimnis von Gottes Demut biblisch grundiert. Beachtenswert ist, dass er in den Gebeten von Jesu Demut spricht, der Bezugstext allerdings mit Gottes Demut ganz klar die Richtung der Gestalt des Jesus von Nazareth auf die Gottessohnschaft hinlenkt. Auch wenn er mit dem Schicksal Jesu und der Frage auftaktet, wie denn dieses Leben überhaupt gehen konnte (vgl. Herr, 435). Für ihn stellt sich die Frage, wie das Jesusbild mit dem göttlichen Christus-Bild zu denken ist. Ganz klar bekennt er als Glaubender: »Wer Gott ist, vernimmt und schaut der Glaubende aus Jesu Wort und Wesen« (Herr, 438), und belegt die Aussage mit Joh 14,9. Das Geheimnis der Inkarnation besteht in der Bindung Gottes an das Menschenda-

sein Jesu (Herr, 439). »Von nun an und in Ewigkeit bleibt Gott der Mensch gewordene Gott« (ebd.), die absolut unerhörte und die größte Zumutung des christlichen Glaubens. Die Frage, »Wie muß Gott sein, damit er sich in ein solches Dasein geben könne?« (Herr, 439), wird beantwortet mit dem schlichten Satz: »Er muß ein Liebender sein« (ebd.). All das geht über die Vernunft des Menschen hinaus und berührt die Sinnebene des Glaubens. Gottes Liebe ist zugleich Wahrheit, die sich in der Existenz Jesu um der Menschen willen verwirklicht. Aber, so formuliert Guardini: »In Gott muß etwas sein, das mit dem Wort »Liebe« noch nicht benannt ist. Mir scheint, man muß sagen, Gott sei demütig« (Herr, 440). Nun erfolgt eine Exegese des Wortes Demut, die den Skopos im Satz findet: »Demut ist erst, daß der Große sich vor dem Kleinen in Ehrfurcht beugt« (Herr, 441), nicht um sich im Erniedrigen zu verlieren, sondern »die Kostbarkeit des Kleinen achtend, offenbart sich gerade im Demütigen ein tiefes Geheimnis, das sich besonders in der Gestalt des Franziskus und in dessen Niederknien vor dem Thron des Papstes enträtselt. In Franziskus findet Guardini die glaubwürdigste Bestätigung seiner These, übrigens eine Verhaltensweise, die gerade den derzeitigen Papst am besten charakterisiert, sich nämlich demütig vor den Armen zu verneigen. In diesem Sinne interpretiert Guardini auch Lk 10,21. Gott nimmt die menschliche Nichtigkeit an, indem diese ihm »kostbar und hoheitsvoll« ist (Herr, 441). Als wesentlicher Wesenszug Gottes wird neben der Liebe die Demut erhoben. »Gott selbst muß demütig sein. In ihm, dem Ewigen, Allherrlichen, Allgewaltigen muß die Bereitschaft sein, sich in jenes Kleine, ja mehr als Kleine, Nichtige, das vor ihm die Schöpfung ist, hinabzuwerfen. In ihm muß etwas sein, das ihn willens macht, sich in das Dasein eines unbekannten Menschen aus dem Dörfchen Nazareth hineinzugeben« (Herr, 442). An dieser Stelle trifft der Philipperhymnus des Paulus im Abstieg und in der Wiederaufnahme Gottes durch Jesus Christus. »Das ist Gottes Demut. Seine Bewegung in das, was Nichts ist vor ihm; nur möglich, weil er der All-Große ist« (Herr, 442). Die Umwertung aller Werte – wir hören den Kontrapunkt zu Nietzsche im Hintergrund – geschieht im Bekenntnis: »Gott ist der Demütig-Liebende« (Herr, 443). »Christliche Demut aber ist der Mitvollzug dieser Gesinnung Gottes« (Herr,

443). Auf dem Hintergrund dieses faszinierenden Textes sollte man das Gebet »Jesu Demut« im Glauben und vom Innern heraus sprechen.

5. »Theologia Cordis«

Ganz im Mittelpunkt der theologischen Motive und absolut dominant stellt sich das Motiv des Herzens in Guardinis Theologischen Gebeten dar. Im Realsymbol des Herzens berührt sich das Werk Guardinis mit dem Karl Rahners. Der mit der Symbolisierung gegebene Hang zur Innerlichkeit und zur kontemplativen Grundstruktur – gerade in den kleinen Schriften zum Gebet – darf nicht mit einer sentimentalen Introvertiertheit oder mit einem übertriebenen Hang zum Subjektiven verwechselt werden. Das Symbol des Herzens stellt eine Form existentieller Ergriffenheit, ja existentieller Pragmatik dar, die eine reine Ausdruckshandlung zur Geltung bringt. Dabei spielt besonders Guardini mit dem Realsymbol des Herzens auf allen theologischen Ebenen, das heißt, das Herz Gottes »fließt in das Herz Jesu ein«, das wiederum durch den Glauben im Herzen des Beters Raum findet. Diese Bewegung findet sich im gesamten Gebetsbüchlein. Das selbstsüchtige, blinde und törichte Herz des Menschen soll dabei überwunden werden, hinein in die Macht des Herzens Gottes, d.h. das Menschenherz soll in das Leben Gottes integriert werden (G, 40).

5.1 Das Realsymbol des Herzens in der christlichen Theologie allgemein

Das Herz ist ideengeschichtlich gesehen stets wesentlicher Bezugspunkt zur Selbstidentifikation und steht somit für den zentralen Mittelpunkt der Person. Dabei ist es Sitz des Lebensgeheimnisses Gottes und der Schöpfungswirklichkeit[16]. Gerade in den biblischen Schriften kommt dem Realsymbol des Herzens eine zentrale Rolle als anthropologischer Kernbegriff zur Kennzeichnung seelisch-geistiger Einheit zu, »weil starke Affekte auch physisch im Herzen empfunden werden, gibt es kaum einen Vorgang, der nicht mit dem Herzen in Verbindung steht«[17]. Das Herz ist nicht nur Sitz des Gefühls (1 Sam 1,8; Joh 14,1), sondern in ihm kristallisiert sich auch alles Verlangen und Begehren des Menschen (Ps 21,3; Röm 10,1). Das Herz charakterisiert sowohl Urteilsvermögen des Menschen und ist damit zentraler Ort menschlicher Entscheidungen (Spr 16,23; 1 Kor 7,37), als auch Ursprung der menschlichen Tat (Apg 8,21; Tim 1,5). Es ist damit der Ausdruck der Ganzheitlichkeit des Menschen. Die hohe Symbolkraft des Herzens als personaler Mitte einer leib-seelischen Einheit bündelt alles menschliche Vermögen und alle geistigen Kräfte. Das Herz ist auch zentrales Motiv der biblischen Paränese: Durch das Herz erfolgt der Aufruf, Gott grenzenlos zu lieben (Lk 10,27), das verhärtete und verstockte Herz soll sich wieder auf das Wort Gottes hin bewegen und dieses gehorsam aufnehmen (vgl. Ex 4,21; Jer 5,23; Mk 6,52). Das Herz Gottes, von dem die Bibel spricht, erwählt den Menschen und führt ihn zur rechten Entscheidung (vgl. Apg 13,22; Jer 3,15). Im Neuen Testament ist das Herz Jesu das sprechendste Realsymbol der Liebe, das einen Menschen im Herzen berühren kann[18].

Das Herz gilt als der Ort der höchsten Konzentration menschlicher Innerlichkeit und zugleich als intuitiver Einigungspunkt von göttlicher und menschlicher Liebe, d.h. als gott-menschliche Mitte. Es ist, so Leo Scheffczyk, »wirklichkeitserfülltes Symbol für die unsichtbaren Bewegungen der gottmenschlichen Liebe« (Sp. 53). Das Symbol des Herzens ruft zur ganzmenschlichen Verwirklichung der Gemeinschaft mit Gott in Jesus Christus auf. Somit finden wir in dem Motiv des Herzens und näherhin in der Herz-Jesu-Verehrung einen Gesamtausdruck der christlichen »Berufung zur Gottesliebe« (bei welcher Gott der Erstliebende ist) und zu der auf den Nächsten gerichteten Menschenliebe (Scheffczyk, Sp. 54).

5.2 Zur »theologia cordis« bei Romano Guardini

Das gesamte Werk Guardinis ist vom Motiv des Herzens durchdrungen. Wir erheben die Herzenstheologie anhand dreier ein-

schlägiger Quellen, die etwa zeitgleich entstanden und damit den Gebeten vorausgehen.
Unter dem Titel »Wille und Wahrheit« erschienen 1933 die »Geistlichen Übungen«. Etwa zeitgleich, im Jahre 1935, veröffentlicht er »Christliches Bewusstsein. Versuche über Pascal« (mit dem Imprimatur von 1934) und die »Bekehrung des Heiligen Aurelius Augustinus. Der innere Vorgang in seinen Bekenntnissen«. Beide Bücher, die bei Jakob Hegner in Leipzig 1935 erschienen, kennzeichnen in bester Weise die Denkungsart, die Guardini während seines gesamten theologischen Lebens charakterisierte. Es sind die großen Gestalten von Augustinus und Pascal, die hinsichtlich der theologischen Motive als auch des philosophischen Zusammenhangs sich aufeinander beziehen. Sie prägen eine wesentliche theologische Linie auch der Herzensthematik aus[19].

5.2.1 Das Herzmotiv im Augustinus-Buch

Wie sehr Guardini dem Motiv des Herzens denkend nachgeht, zeigt schon die erste Anmerkung des Herzenskapitel im Augustinus-Buch (Au, 82), in der er auf eine frühe Skizze aus dem Jahre 1927 verweist, die er als Nachwort in der Übersetzung von Felix Kleins Madeleine Sémer 1927 unter dem Titel: »Der Mensch und der Glaube« (dort S. 279 f.) veröffentlicht hat.[20]. Im Augustinus-Buch bindet Guardini die Herzensthematik eng an die Wertethik an, wenn er bekennt, dass das Herz im Grunde wertschätzender Geist sei und dies im Unterschied zum »normgehorchenden« Geist. Das Herz sei das »Organ und der Bereich des menschlichen Ganzen«, Ausdruck der »wertantwortenden Innerlichkeit« (vgl. Au, 82). Den zweiten ethischen Akzent, den Guardini mit der Herzensthematik setzt – Ethik wird als wirklichkeitsgestaltendes Movens gedacht –, wird jetzt verbunden mit einem ästhetischen, denn das Herz setzt eine Beziehung zur Schönheit, sei es in der Natur oder im Kunstwerk. Damit formuliert er den Anspruch von Verbindlichkeit, Wert und Vollkommenheit, definiert gleich im Anschluss, was er unter Schönheit versteht: »die Strenge im Bereich des Werthaften. Ausgang und Träger des Eros als der schätzenden, schönheitsfühlenden und leibbezogenen Geistbewegung; Region im lebendigen Menschen, worin der Eros, Zustand, Organ, Sein ist, ist das

Herz.«(Au, 82) In kurzem Abstand setzt Guardini immer wieder die zentralen theologischen Motive in Beziehung: Die Frage nach dem Sinn des Daseins, den er in der »beatitudo«, im Glück, findet (Au, 83). Guardini bringt die Wahrheit als »Wesensgesetz und Sinngestalt« in enge Verbindung mit dem sie interpretierenden und charakterisierenden Wert, der wiederum im Herzen erfahren wird (Au, 83). Insofern weist der Wertbegriff weit über eine rein ethische Denomination hinaus, das Herz ist jeweils die Verbindung zwischen dem Transzendenten und dem Immanenten. Der Mensch selbst ist jeweils auf das je andere der Transzendenz hingeordnet (vgl. Au, 83). In die Herzensproblematik bindet Guardini sein gesamtes theologisches System ein:

Die Allfülle des unendlichen Gottes wird in den endlichen Dingen abgebildet, wobei das Endliche sich wieder zu Gott emporhebt. Stets ist es die Bewegung des Schaffens und des Sinnmitteilens, die sich als Sinnvollzug im geistigen Leben des werterfassenden Herzens, als Rückkehrbewegung zu Gott hin vollziehen (vgl. Au, 84): So ist das Dasein nirgendwo in ein absolutes Draußen preisgegeben, sondern steht als Ganzes in einer objektiven Innerlichkeit. »Es ist von einem Sinn- und Liebesraum umfangen. Dieser Raum ist »Herz« in einem objektiven Sinne, als Hut des Daseins, als Charakter der Welt, und führt zum Begriff des Herzens Gottes [...] in dem alles Geschaffene bewahrt bleibt [...]. Das Herz im Menschen aber ist jener Raum, jene Gestimmtheit, jene Innigkeit, die auf dieses alles antwortet« (Au, 85). Mit dem Sich-selbst-Überschreiten gelangt das Ich zum Andern und mit diesem Akt findet der Mensch über alle Widersprüche hinweg zu sich selbst (vgl. Au, 85)[21].

Guardini denkt in ähnlicher Intensität wie Maurice Blondel den Gegensatz und Widerspruch, der zwei Generationen vor Guardini mit seinem Hauptwerk L'Action (1893) den »eingeschlossenen Dritten« zum Thema macht[22]. Das Ganze des Daseins ist vom Sinn- und Liebesraum Gottes umgeben und zeigt sich dem Menschen als Raum objektiver Innerlichkeit (Au, 85). Der Begriff des Herzens Gottes geht aus der Schöpfung hervor, in ihm wird alles Geschaffene zusammengefasst und bewahrt. Der Ruf Gottes erfolgt aus Gottes Herzen. Die Innerlichkeit des Daseins zeigt sich im Herzen selbst als dem Ort der Erfahrung: »Das Schwingende, Eindringende am Sein, die Kostbarkeitsdimension der Wahrheit, die Lichtfreiheit des Wertes – aber auch das, was im Menschen darauf bezogen ist: die innere Berührbarkeit dafür, die selige und schmerzliche Tiefe des Erfahrens, und eben das ist das Herz« (Au, 86). Eine Parallelität zur metaphysischen Dimension der ›action‹ bei Blondel ist tatsächlich durch die Bewegung des Herzens naheliegend. Diese Nähe versteht sich mit der Nähe Blondels wie Guardinis zu Pascal. Denn die Bewegung im sich vollziehenden Sein steigert den Grad der Wirklichkeitserfahrung, wie Guardini meint und in seiner eigenen literarisch aussagekräftigen Sprache umschreibt. Der Wert habe »ontische Wärme« und berührt deshalb auch das »tiefste Leben des Herzens« (Au, 86). Das Herz ist jeweils auf die Bewegungen des Seienden im Sein werthaft bezogen, dies durch das liebende Tun im Selbstopfer. Wie bei Blondel versinnbildlicht das Herz den Raum des »eingeschlossenen Dritten«, das die Gegensätze, ja sogar den Widerspruch in sich einschließt: »Im Raum des Herzens – des erlösten, rein und frei gewordenen – ist die harte Ausschließung der Sätze von der Identität und vom Widerspruch aufgehoben. Das kalte Eingeschlossensein des Selbst ins Nur-Selbst; das dürre Entweder-Oder zwischen dem Selbst und dem andern, richtiger zwischen dem Ich und dem Du ist hier überwunden. Nicht durch Vermischung oder Unklarheit; nicht durch Zauberei oder Trug, sondern durch das schöpferische Geheimnis jenes Lebens, das sich im Dasein Christi, des menschgewordenen Gottes, und in seinem Liebesverhalten zu uns offenbart« (Au, 87 f.). Seine Nähe zu Blondels Charitismus und zum Gedanken des »vinculum substantiale« in Jesus Christus ist an dieser Stelle besonders wirksam[23]. Guardini verweist am Ende seines Kapitels auf die Skizzenhaftigkeit seiner Philosophie des Herzens, die er – wie er sagt – nur in Ansätzen darbieten kann, um die innere Welt von Augustinus zu erhellen.

5.2.2 »Le coeur« im Pascal-Buch

Im wichtigen Buch mit dem bezeichnenden Titel »Christliches Bewußtsein« interpretiert Guardini Pascal in sechs beachtlichen »Versuchen« unter den Stichpunkten: »Das Mémorial – die religiöse Entscheidung im Leben Pascals«, dann die Anthropologie im zweiten Kapitel: »Der Mensch und sein Stand in der Wirklichkeit«, dann im dritten Kapitel sein Verständnis des Naturbegriffs, im vierten: »Die Verborgenheit Gottes und das Herz« – hier findet sich auch das wichtige Kapitel über die »theologia cordis«, besonders (P, 176–182), dann im fünften Kapitel widmet sich Guardini dem zentralen Motiv des Arguments der »Wette« und stellt diese in einen historischen Zusammenhang mit den Gottesbeweisen, bis er im sechsten Kapitel »Pascals Kampf« thematisiert.

Im Pascal-Buch birgt Guardini seine eigene Hermeneutik der »theologia cordis« ein. Dabei bildet Pascal die Blaupause seiner eigenen »theologia cordis«. Am Realsymbol des Herzens erarbeitet Guardini seine Erkenntnislehre gerade auch durch ein Wahrheitsverständnis, das sich in »Vernunft« und »Herz« ausspricht (P, 180). Gleich zu Beginn des Kapitels grenzt er den Begriff des Herzens von Vorurteilen ab, das Herz sei »nicht Ausdruck des Emotionalen im Widerspruch zum Logischen; nicht Gefühl im Widerspruch zum Intellekt; nicht »Seele« im Widerspruch zum »Geist«. »Coeur« ist selbst Geist; eine Erscheinungsform des Geistes« (P, 176). Das Herz vermittelt zwischen Emotionen, Leidenschaften und Sinneserkenntnis und der klaren begriffsbildenden Verstandes- und diese überwindenden Vernunfterkenntnis. In der ihm eigenen anschaulich-metaphernreichen Sprache beschreibt Guardini den Zusammenhang zwischen Herz und Geist. »›Herz‹ ist der Geist, sofern er in Blutnähe gelangt; in die fühlende, lebendige Fiber des Leibes […] Herz ist der vom Blut her heiß und fühlend gewordene, aber zugleich in die Klarheit der Anschauung, in die Deutlichkeit der Gestalt, in die Präzision des Urteils aufsteigende Geist. […] die aus dem Blut in den Geist, aus der Leibgegenwart in die geistige Ewigkeit gespannte Bewegung. Sie ist es, die im Herzen erfahren wird« (P, 177).

Vielleicht überbeansprucht Guardini die Metapher des Herzens, doch seine Intention bleibt klar. Bestimmte Gegenstände gelangen nur im Herzensakt zur Gegebenheit. Da bleiben sie aber nicht in arationaler Intuition, sondern sind »intellektuell-logischer Durchdringung zugänglich« (P, 176). Das Herz spricht als speziell Phänomene der Erkenntnis vermittelndes Organ. Guardini möchte damit jeder frühen Flucht in mystische Akte oder subjektive Gegebenheiten der Wahrheitserkenntnis eine Absage erteilen. »Das Phänomen hängt daran, wie sich Erkenntnis und

Wille, Wahrheitserfassung und Liebe – objektiv ausgedrückt; wie sich Wesen und Wert zueinander verhalten.« (P, 176f.). »›Wert‹ ist der Kostbarkeitscharakter der Dinge.« (P, 176f.) Die Herzenserkenntnis verleiht Mensch wie Ding Würde und Wert und antwortet auf die Werterfahrung (vgl. P, 177). Damit gewinnt die Frage nach dem Herzen den wertethischen Aspekt, während der »esprit de finesse« die Fähigkeit des Menschen darstellt, das Konkrete »in seiner Besonderheit zu erfassen« (vgl. P, 179, vgl. P, 35). Das Herz (coeur), »die Einheit der Akte, welche die Werte erfahren und aneignen«, also auf der einen Seite eine die Erkenntnis fundierende »Gegenstandserfassung«, welche innerhalb der Logik Platz findet, auf der anderen Seite das Herz, das Werte erfassend nicht ein rationales Fühlen darstellt, sondern eine wichtige Werterfahrung, die ihrerseits wiederum die »Erkenntnis im eigentlichen Sinne begründet« und somit eine in der Gnoseologie höchststehende »Logik des Herzens« entfaltet (vgl. P, 35.36). Während der Wert die »innere Sinn-Bewegtheit des Seins« (P, 178) zum Ausdruck bringt, ist das Herz das Zentrum, durch das die Bewegung der Liebe freigesetzt werden kann (vgl. P, 178). Guardini denkt vielmehr vertikal, denn das Organ für das Sein erschließt sich nur von oben her und wird dann zum Organ »der erfüllenden und heilgebenden Heiligkeit Gottes« (P, 179). Als Organ des »esprit de finesse« (P, 179. 35) bewahrt das Herz das Denken vor einseitigen Abstraktionen, bleibt geschmeidig und biegsam, das Innere durch das Äußere erschließend und damit Erlösung ermöglichend (vgl. P, 179).

Im Herzen kommen die ersten Axiome des Denkens zur Anschauung, so dass das Herz einer transzendental-apriorischen Form möglichen Erkennens und emotionalen Wachsens gleichkommt (vgl. P, 180 mit Fr 282). Immer wieder lehnt Guardini seine einseitige Interpretation des Herzens in Richtung einer emotionalen Subjektivität oder einer Unkontrollierbarkeit des Gefühls ab und betont die geistig-objektive Evidenz sowohl des »esprit de finesse« als auch des »coeur«. Insofern ordnet er das Wort Pascals ein, das Herz habe Gründe, welche die Vernunft nicht kennt (vgl. P, 180, auch mit Anm. 1) und stößt auf den Kern der Voraussetzung der Erkenntnis, wenn er im Sinne Augustins und Platons behauptet: »Erkenntnis setzt Liebe voraus«

(P, 181). Diese Liebe wird nicht abstrakt, sondern wird auf den Wertanruf reaktiv tätig. Liebe, Wert und Freiheit werden von Guardini zusammengedacht: Die initiative Bewegung der Liebe richtet sich auf Freiheit hin, wobei der Wert eine Stellungnahme erforderlich macht und beide in ein ethisches Tun führen. Das eigene Wollen hat unter das Wollen Gottes zu treten, um nicht der Sünde zu verfallen (vgl. P, 182). Es ist gerade wichtig im Hinblick auf die allen Entscheidungen vorangehende Herzenserkenntnis. »So ist »Coeur« bei Pascal das Organ für den Wertcharakter des Seins« (P, 178f.), aber nur – Guardini denkt wieder ganz vertikal –, wenn es sich »von oben her, aus der Offenbarung erschließt« (P, 179). Das Herz zeichnet sich dann dadurch aus, dass es sich als transzendente Macht über alle Widersprüche hinweg und über sich selbst hinaus zu erheben vermag, quasi als eingeschlossener Dritter (vgl. Maurice Blondel: »le tiers inclus«) zu erheben vermag. Als Ort der Entscheidung kann das Herz auch das Nein zum Wert und zu Gott sprechen, wenn der Mensch selbstbezogen auf seiner Autonomie beharrt und damit der Sünde Vorschub leistet (vgl. P, 182). Denn, wenn der Mensch die Werte, die unverrückbar von Gott gegeben sind, in die Gestalt der Autonomie fasst, werden sie »zu Werkzeugen der Empörung gegen Gott«. (vgl. P, 182). Das In-sich-selbst-stehenwollen und der radikale Selbstbezug verkörpern die am wenigsten entschuldbare Sünde, die im Anspruch der Autonomie wurzelt. Ein Ansatz, der im Blick auf die neueren, die Autonomie des Menschen betonenden Entwicklungen innerhalb der Philosophie und Theologie auch umstritten ist. Das Herz wird in die Nähe des Gewissens gerückt, in dem der Mensch Gott begegnen kann (P, 182). Die Herzkraft hat wachsam und gehorsam gegenüber dem Transzendenten zu sein, selbstlos und freigebend. Guardini bindet das Herz jeweils an den Raum der Offenbarung (P, 183).

5.2.3 »Herz« in den Theologischen Gebeten

In den Theologischen Gebeten entspricht diesem das zuvor im Augustinus- wie im Pascal-Buch allgemein gezeichneten Bild der Symbolkraft des Herzens. Es ist ein empfangendes Herz des Beters, das durch Gott zu sich selbst kommt (G, 7). Es zeigt sich einverstanden mit der Wahrheit Gottes (G, 12) und empfängt in seiner Offenheit die Gnade Gottes (G, 17). Gott lehrt den Menschen, nach ihm und seiner Wahrheit im Herzen zu suchen (G, 18.19). Das unbestechliche (G, 19), fragende (G, 20) Herz lebt in der Freude Gottes (G, 27). Somit ist das Herz des Beters inniglich von Gott berührt (G, 28), während das Herzgeheimnis »des Lebens Gottes« verborgen geblieben ist, ist es im Antlitz Jesu Christi der Erkenntnis des Beters zugänglich: »›Niemand, Vater, hat Dich je gesehen; nur der einziggeborene Sohn, der an Deinem Herzen war, hat uns Kunde gebracht‹« (G, 30). Des Menschen Herz wartet auf die Botschaft von der Erlösung (G, 32). Gott aber hat das menschliche Schicksal an sein Herz genommen und in Jesus unser Dasein in sein Herz eingeschlossen (G, 35). Dem Heiligen Geist obliegt es, das Herz zu der Treue des Glaubens zu führen und es von Gottes Liebe zu überzeugen (G, 40). In dieser Liebe wird die Hoffnung im Herzen lebendig, auf die Freiheit und die Herrlichkeit der Kinder Gottes hin zu leben (G, 40). Dies gelingt aber nur, wenn das selbstsüchtige, müde und törichte Herz der Welt (G, 40) auf Gottes Wahrheit hin überwunden wird und der Heilige Geist im Herzen Zeugnis gibt von dieser Wahrheit (G, 44). Dem Beter wird einsichtig, dass das Hinsprechen des Gebetes Ausdruckshandlung des Glaubens ist, »daß mein Wort, Dein Herz findet, auch wenn nichts zu antworten scheint« (G, 50). Der Beter wiederholt immer wieder die Bitte: »laß mich Deines Herzens inne werden und in Deiner Liebe geborgen sein« (G, 50). Aus dem Realsymbol des Herzens erwächst das lebendige Gebet. Es sieht vom Beter selbst ab, ist heiliger Dienst und nicht Bedürfnis (G, 49), selbst wenn wir ins Stumme zu beten meinen und keine Antwort bekommen (G, 49), schuldet der Beter zur Ehre Gottes diesen »heiligen Dienst« (G, 49). Mit dem Realsymbol des Herzens ist die Spur zur Transzendenz Gottes gelegt und die Bitte um Klarheit formuliert.

6. Mensch und Gott, oder: Jakobs Kampf mit Gott

Mit der Miniatur »Jakobs Kampf mit Gott« veröffentlicht Guardini im Mai 1932 in den Werkheften junger Katholiken einen beeindruckenden Text, der bestens in den Kontext der Gebete hineinpasst und der zeigt, wie Guardini durch eine geschickte Bibelhermeneutik das gesamte Gott-Mensch-Verhältnis zum Ausdruck bringt und damit auch seine anthropologischen Grundlinien zieht[24], ein in Prosa gefasstes Gebet. Mit einer kurzen Reflexion auf diesen wertvollen Text beenden wir unsere Überlegungen.

Die Bibelhermeneutik von Genesis 32,23–33 taktet auf mit der Wiedergabe der Perikope in einer Guardini eigenen Sprache. Offenbar hat diese Auslegung einen konkreten Sitz im Leben in der Jugendbildung der Burg Rothenfels und ging offensichtlich aus einer Predigt hervor. Wie bringt Guardini diese Perikope zum Klingen? Worin sieht er die glaubens- und lebensfördernden Motive der Perikope?

Selbst wenn man zunächst ratlos vor dem geheimnisvollen Kampf Jakobs mit dem »Mann« steht, fühlt man, dass das Ereignis in einem besonderen Licht »heiligster Wirklichkeit« geschieht. Der Text weist stets über das menschlich Erkennbare hinaus in eine besondere Tiefenerfahrung. Im Kampf selbst spielt sich ein »Ineinander von Übermacht und Schwächer-Sein« (S. 2) ab, obwohl der geheimnisvolle Mann Jakob nicht besiegen kann, paralysiert er ihn dennoch durch einfache Berührung an der Hüfte. Der Lohn des Kampfes ist ein neuer Name, den der verborgen Unerkannte Jakob am Ort der Gottesbegegnung gibt. Die Namentlichkeit[25] spielt ausgehend von Eugen Rosenstock-Hussey auch bei Guardini eine wesentliche Rolle und bezeichnet das entscheidende Wesensmerkmal, ja die Identität des Menschen vor Gott (»daß er ›Einer‹ werde vor seinem Schöpfer« [S. 2]).

Der Segen des Geheimnisvollen verleiht dem Benamten den Sinn und die Kraft des Lebens und ermöglicht dem Menschen einen Erfahrungs- und Erkenntnisgewinn ohnegleichen durch das Angesicht-Sehen Gottes: »Denn jetzt geht ihm die Sonne auf«(S. 2).

Der Kampf ist auch ein Kampf um die Wirklichkeitserkenntnis, um die Glaubenserfahrung und um das Erkennen Gottes, die als einziger Akt gesehen werden, eine nicht zu übertreffende tiefe Gotteserfahrung begründen. Der Mensch gewinnt Lebenskraft und Wirkmächtigkeit durch den Kampf des Lebens um den Segen, wird Auserwählter vor Gott, ohne dessen Allmacht zu schmälern.
Die Aussage ist stark: Gott will sein Geschöpf als Ringendes im Lebenskampf: »Als Kämpfer und Ueberwinder will Gott den Menschen, sein Geschöpf.« (S. 2) In einer unübertroffen schönen Sprache deutet Guardini die Stelle aus und beschreibt, was an Jakob geschehen ist: »Er war einer jener Großen, die Menschen waren voll Erdenkraft, die aber mit Gott umgingen. Weltmächtig, von dichtester Wirklichkeit, und zugleich vom Geheimnis Gottes umgeben. Er war ein Auserwählter; an ihm wird aber etwas offenbar, das für uns alle gilt«. (S. 2)
Man muss sich vor Augen halten, dass Guardini vor jungen Menschen im Jahr 1932 spricht und ihnen damit in einer politisch äußerst bedrängten Zeit Mut, Gelassenheit und Weisheit zuspricht. In Freiheit geschieht das Ringen mit der Gottesfrage: »... dem Menschen ist gesetzt, ein Freier zu sein.« (S. 2) Gott will den Menschen stark und entschlossen als seinen Partner sehen, dass er einer werde vor ihm selbst, seinem Schöpfer. Allenthalben macht Guardini fühlbar, dass er selbst mit dem Problem der Freiheit ringt. Freiheit ist – frei nach Anselm von Canterbury – »Allmacht unter Gott«. Die Weise des Kampfes ist nach Guardini eine »Liebeserprobung«. Die Macht des Schöpfers wird in der Gestalt der Liebe gezeigt. Gottes Macht kommt in Liebe und verwirklicht sich in den Alltagserfahrungen des Menschen. Sie »kommt in der Gestalt der Liebe, die verlangt, überwunden zu werden, auf daß sie sich schenken könne.« (S. 3)
Die Tiefe des Geheimnisses Gottes erfährt der Mensch nicht in vollem Umfang; er verlangt jedoch nach ihm, was Gott mit Segen, Antlitz-Sehen, Begegnung und Namensgebung belohnt. Solange der Mensch auf der Wanderschaft ist, bleibt Gottes Name verdeckt und von Rätseln umgeben, genauso wie sich Wirklichkeit als Schöpfung zeigt. Und dennoch bleibt Hoffnung und Zuversicht, Gottes Angesicht schauen zu können, da in allen Weltdingen selbst Gott darin ist. Diese Bewegung kenn-

zeichnet den Glauben, der heißt: »Ausharren im Schwebenden des Daseins.« (S. 3) Trotz vieler Dunkelheiten des klaren Erkennens: »Wie oft muß man Gott richtig herausglauben aus der Vieldeutigkeit, aus der Wirrnis, aus der Sinnverlassenheit des Daseins; immer neu, wenn auch der Verstand irre wird, [...] und das Herz müde wird.« (S. 3) Das Geschenk Gottes zeigt sich als Liebesprobe im ringenden Kampf um ihn. Guardini fordert seine Hörer und Leser auf, das Bild des Einsamen in dunkler Nacht (ein Motiv, das auch in Blondels Action eine wichtige Rolle spielt[26]) mitten ins Leben hinein zu reintegrieren. Dies geschieht nicht auf die Weise des Begreifens, sondern auf die Weise des tiefen Erfahrens eines Mächtigen im alltäglichen Tun. Hier begegnet man keiner Satzwahrheit, sondern einer lebendigen Begegnung und einem tiefen Erfahren des Menschen, dem die Kenntnis in einer umfassenden Weise zuteilwird, so dass ihm die Sonne, die Lebenserfahrung, die Erkenntnis der Wirklichkeit, der Glaube aufgehen. Aus diesem beschriebenen Leben heraus erfährt der Mensch Stück um Stück die Sensibilität und Wirklichkeit Gottes. Wir finden in diesem knappen Text ein sprachlich und inhaltlich gefülltes Kleinod, das die gesamte Theologie Guardinis zum Klingen bringt und den Beter der Theologischen Gebete vor den persönlichen Gott stellt.

7. Beschluss: »Das Gebet, die gute Ewigkeit« oder: »Gottes Zeit ist die allerbeste Zeit«

Heute wird die Frage nach dem Sinn oftmals isoliert gestellt, das heißt, ohne nach der Vollendung und Bestimmung des Menschen zu fragen. Die Theologischen Gebete von Romano Guardini thematisieren nicht nur die Vorsehung (G, 43–45), sondern auch als letztes Gebet »Die gute Ewigkeit« (G, 52–53). Mit diesem Gebet, das sehr stark an den »actus tragicus« von Johann Sebastian Bach aus dem Jahr 1707 erinnert, schließen wir unsere Überlegungen:

Gottes Zeit ist die allerbeste Zeit, denn die Zeit des Menschen ist nicht nur der Begrenzung unterworfen, sondern Glück und Leid liegen immer eng zusammen. Der Zerfall und die Vergänglichkeit liegen über dem Leben des Menschen, wohingegen Gottes Zeit, Not und Ende nicht kennt, weil personale Nähe, Stille, Liebe und Frieden zwischen Vater, Sohn und Geist das reine Leben prägen. Sind wir unablässig auf der Suche nach Heimat, so finden wir sie biblisch gesehen nicht auf Erden (Phil 3,20), sondern nur in Gottes Liebe, aus der Christus zu den Menschen kam. Die Vollendung der Zeit zeigt durch Christus die eigentliche Heimat. Die Gebetsbitte kreist um das Bewusstsein, das Verlangen nach Erfüllung nicht zu verlieren und entsprechend Maß und Sinn im Alltag zu halten und beständig nach dem Sinn zu fragen, um das Gemüt stets »vom Hauch seiner Ewigkeit berührt sein« zu lassen. Die Gebetszusage trägt eine tiefe Zuversicht in sich: »Gottes Zeit ist die allerbeste Zeit, weil die Ewigkeit gut ist. In Ihm leben wir und sind wir, solange Er will. In Ihm sterben wir zur rechten Zeit, wenn Er will.« (Actus tragicus, J. S. Bach)

Anmerkungen

Dieser Beitrag erschien zuerst in: Karl-Heinz Wiesemann/Peter Reifenberg (Hg.), »In allem tritt Gott uns entgegen«. Zum 50. Todestag von Romano Guardini, Ostfildern 2018.

1 Vgl. Hanna-Barbara Gerl, Romano Guardini (1885–1968). Leben und Werk, Mainz 1985, 7. 26.27.

2 Vgl. Romano Guardini, Wille und Wahrheit. Geistliche Übungen, Mainz 1933. 146.

3 Romano Guardini, Die Annahme seiner selbst, Würzburg 1960, 16.

4 Karl Rahner, Von der Not und dem Segen des Gebets, Mainz 1949. Felician Rauch, Innsbruck 1949. Vgl. Karl Rahner, SW 9. Aufl., München 1977, 39–116. Ebenso hierzu den von Andreas R. Batlogg herausgegebenen Editionsbericht SW, Bd. 7: Der betende Christ, Freiburg 2013, XXII–XXV.

5 SW, Bd. 7, XXIII.

6 Zur Charakterisierung dieser wichtigen Gebetsanregungen sollte man auch das von Hans Urs von Balthasar klarsichtig gegebene Urteil noch einmal festhalten: »Neben den eben genannten Vorträgen müsste zum vollen Verständnis von ›Geist in Welt‹ auch das Bändchen von literarisch stilisierten Gebeten ›Worte ins Schweigen‹ berücksichtigt werden, welche die Grunderkenntnisse der theoretischen Werke auf der Ebene der religiösen Erfahrung wiederholen: Das Stehen des Menschen zwischen Gott und Welt, vor der Leere und Verschlossenheit des Unendlichen, das sich erst im menschgewordenen Gott erschließt, und innerhalb des christlichen Raums die strenge Zuordnung von Leben in Welt und Alltag ... und mystischer Zuwendung zum überweltlichen Gott«.

7 2. Auflage, Mainz 1948.

8 Wir zitieren nach der 2. Auflage des Matthias Grünewald Verlags, Mainz 1948 (= Vorschule)

9 Wir zitieren die Theologischen Gebete nach der Erstausgabe des Knecht-Verlags, Frankfurt 1948 (= G).

10 Auch aus diesem Grund werfen wir einen Blick auf die den Gebeten zugrunde liegenden Untersuchungen zu Augustinus und Pascal.

11 Romano Guardini, Wille und Wahrheit. Geistliche Übungen, Mainz 1933, 147 (= Wille und Wahrheit, 147).

12 So z.B. im späteren Werk Romano Guardinis, Die Annahme seiner selbst, Würzburg 1960, 22. Vgl. Peter Reifenberg, Situationsethik aus dem Glauben. Leben und Denken Ernst Michels (1889–1964), St. Ottilien 1992, 238 ff. (= Situationsethik aus dem Glauben).

13 Vgl. Romano Guardini, Wille und Wahrheit. Geistliche Übungen, Mainz 1933, bes. 148.

14 Ganz deutlich ist die Bezugnahme auf das vielleicht wichtigste Buch Guardinis »Der Herr. Betrachtungen über die Person und das Leben Jesu Christi«, das bereits 1937 in Würzburg (Werkbund) erschien.

15 Vgl. das gesamte Pascal-Buch, z.B. auch P, 135. Im Pascal-Buch wird auch auf die negativen Folgen der Freiheit hingewiesen. »In der Freiheit

… kommen Motive verschiedenster Art zur Geltung. Neben den guten auch schlimme: Feigheit, Trägheit, Auflehnung, Selbstsucht in all ihren Formen« (P, 135).

16 Vgl. insgesamt hierzu den Art. Herz im LThK3, Bd. 5, Freiburg 1996 (2006), Sp. 48–55, ebenso das schöne Buch von Markus Knapp, Herz und Vernunft – Wissenschaft und Religion. Blaise Pascal und die Moderne, Paderborn 2014, 49–119.

17 Vgl. Renate Brandscheidt, Art. Herz II. Biblisch, in: LThK3, Sp. 49.50.

18 Vgl. Leo Scheffczyk, Art. Herz-Jesu-Verehrung II. Systematisch-theologisch und III. Spirituell, in: LThK3, Sp. 52–54.

19 Das Augustinus-Buch erschien in einer zweiten Auflage, Leipzig 1950. Wir arbeiten mit dieser zweiten Auflage, besonders mit dem Kapitel »Wert und Herz«, 82–88 (= Au).

20 Vgl. die Biographie Romano Guardinis, erarbeitet von Hans Mercker 1978, herausgegeben von der Katholischen Akademie in Bayern, Paderborn 1978, 21, Ziffer 240. Diese ersten Skizzen gehen aus einem Beitrag in den Schildgenossen 7, 1927, 161–183, hervor.

21 Auch an dieser Stelle wird das Gegensatzdenken Guardinis virulent. Vgl. hierzu die schöne Arbeit von Albrecht Voigt, Wirkliche Göttlichkeit oder göttliche Wirklichkeit? Die Herausforderungen der Gegensatzproblematik in Romano Guardinis latentem Gespräch mit Friedrich Nietzsche, Dresden 2017.

22 Vgl. zum gesamten Widerspruchsdenken Maurice Blondels: Peter Reifenberg, Verantwortung aus der Letztbestimmung. Maurice Blondels Ansatz zu einer Logik des sittlichen Lebens, Freiburg 2002.

23 Vgl. Hubertus Busche, Vinculum substantiale. Leibniz' Reformulierung seiner frühen Hypothese im späten Briefwechsel mit des Bosses, in: Peter Reifenberg (Hg.), Mut zur offenen Philosophie. Ein Neubedenken der Philosophie der Tat. Maurice Blondel (1861–1949) zum 150. Geburtstag, Würzburg 2012, 67 ff.

24 Romano Guardini, Jakobs Kampf mit Gott, in: Werkhefte junger Katholiken, Frankfurt am Main, 1 (Mai 1932), H. 8, 2–3. Vgl. auch Guardini Bibliographie, 34, Ziffer 374.

25 Peter Reifenberg, Situationsethik aus dem Glauben, 238–252.

26 Vgl. Maurice Blondel, L'Action (1893). »Nicht als müßten wir uns mit einer undefinierbaren Ahnung vom Geheimnis zufrieden geben, als dürften wir keinerlei Hoffnung hegen, je denkend etwas von ihm zu erfassen […] Ohne seinen Namen und sein Wesen zu kennen, können wir sein Nahen ahnen und spüren, wie es uns anrührt – wie einer im Dunkel der Nacht die Schritte seines nahenden Freundes hört und seine Hand streift, und ihn doch nicht erkennt« A (340) 374/365/440).